あやし

宮部みゆき

角川文庫　12913

目次

本文イラスト／方緒　良

居眠り心中

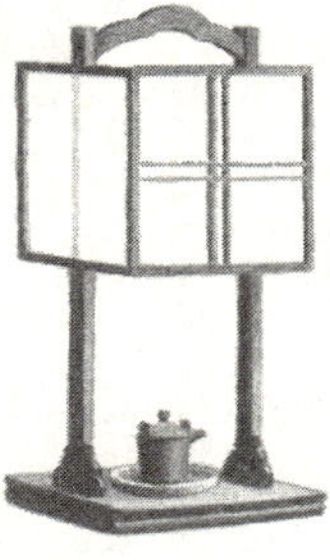

享保《きょうほう》年間のごく始めのころ、江戸の町で、俗に「手拭《てぬぐ》い心中」と呼ばれる心中が、一年半ほどのあいだに四件続いたことがある。

四件とも、互いの手を手拭いで縛り、離れないようにして水中へ投身したもので、うち三件は首尾良くふたりとも死んだが、最後の一件だけは飛び込んだ拍子に手拭いがほどけて、思わず水をかいて泳いでしまった男の方が助かった。生き残った男は、流行《はやり》の手拭いなど使わずに、心中のならいに従ってしごきで手を縛っておけば、自分だけこんな生き恥をさらすことにはならなんだと大いに悔やみ、助けた者の涙を誘ったという。

この〝流行の手拭い〟とは、先《せん》の三件の心中でも使われたもので、この当時日本橋通油町に在った、とある木綿染手拭問屋が作り、そこだけで売っていた品である。問屋だから本来は卸すのが商いで、自分たちで染めたり仕立てたりを手がけるわけはない。だからそもそもは、ここの主人が洒落者《しゃれもの》で、色柄を工夫した手拭いを少数作り、盆暮れの挨拶《あいさつ》に得意先に配ったというだけの、言ってみれば趣味の物だった。それが思いのほか評判をとり、これならいくらかは商いにもなるかもしれないと踏んで売りに出したところ、予想以上に当たってしまって、いちばん驚いたのは当の主人だったという話である。

よろず世の中で当たる物には理由《わけ》がある。ここの手拭いは意匠が良かった。いわゆる〝物語模様〟という趣向で、源氏物語や伊勢物語、御伽草子《おとぎぞうし》などのお話の一場面を絵に描いて、それを染め抜いて使ったのである。小ぎれいに作るには、やはり恋物語の場面がよろしかったようで、とりわけ人気の高かったのが源氏物語だった。先の四件の心中事件でも、男女が互いの手首を縛るために用いたのは、そろってこの源氏物語版の手拭いであったというわけだ。

思いをとげた三件の心中では、それぞれ「若紫」「浮舟」「明石《あかし》」から材を得た絵柄を使った手拭いが用いられていた。失敗に終わった四件目の心中の手拭いのそれは「夕顔」で、絵柄も夕顔の花に片輪車模様が配してあったという。いかにも片方だけが残ってしまいそうな、寂しげな意匠である。

それでなくても心中や相対死《あいたいじに》は御法度であるから、未遂に終わったとはいえ四件目を数えるに至って、お上もようやく重い腰をあげた。この当時、まだ例の引き締め一方の御改革は始まっていなかったが、本来とことん実用的な物であるはずの手拭いに、不必要に贅《ぜい》沢《たく》な意匠をこらして売りさばき、しかも心中の男女の心をくすぐったという咎《とが》で、製造元の木綿問屋は当主は遠島、身代は闕所《けっしょ》の憂き目にあって、店はこの一代でつぶれた。結局は、ずいぶんと高くついた趣味であったということになる。

世間は間もなく、このことを忘れた。だが、物語模様の染め手拭いのことは、同業者たちのあいだでは細々《ほそぼそ》と語り伝えられてゆく。商いの本道には何が肝心かという訓話でもあり、染め手拭いの工芸品としての面白さを語る逸話でもあるから、好んで語る店主やお内儀《かみ》がいても不思議はなかったわけである。

さて、時代は下がって文化《ぶんか》四年——

「大黒屋さんは奉公人の躾《しつけ》には厳しいお店《たな》だ。辛《つら》いことも多いだろう。だがな、厳しい方が結局は楽なんだ。だいいち、あそこで務まればどこでも務まる。若いうちの苦労は買ってでもしろというのは、本当のことだよ。楽して生きる何よりの近道は、結局は真面目に働くことだ。いいな、忘れるんじゃないよ」

銀次を通瀬戸物町の木綿問屋「大黒屋」に送り出すとき、万年屋の親父はつるりと丸い頭をちょっと右にかしげて、妙にしみじみとした口調でそんなことを言った。銀次はその言葉を、何度お店を世話してもらっても奉公が続かず、結局は遊び人同様の暮らしに落ちてしまって、今はどこでどうしているかも定かでないすぐ上の兄のことをあてこすったものだというふうに聞いて、ひどく惨《みじ》めな気持ちになった。

万年屋は大伝馬町《おおでんま》一丁目にある口入屋《くちいれ》で、親父ひとりの小さな店ながら、大伝馬町一帯から室町、宝町、駿河町《するが》、日本橋通町あたりに連なる数多くの木綿問屋に長いこと奉公人を入れている、信用の篤《あつ》い業者である。ここの親父を悪く言う口は、大川沿いに生い茂る葦《あし》の節目まで分け入って探しても、どこにも隠れていないだろう。

銀次のおふくろは、ごく若いころにこの親父に世話になり、奉公に行った先で会った銀次の父親と所帯を持ち、次々と六人の子をなして、今度はその子供たちを順に奉公に出すために、また親父を頼ることになった。十五年からの時が空いているのに、親父はまったく変わっておらず、まるでお化けのようだとおふくろが驚いているのを、銀次も耳にしたことがある。

長兄は五年前、万年屋の計らいで大伝馬町一丁目の柏屋《かしわ》に入った。先頃ようよう手代になって、重宝されているようである。だが次兄は例のていたらくだ。これが長兄のいい実績を全部帳消しにしてくれたので、万年屋の親父の信用がなければ、銀次には奉公先が見つからないところだった。

銀次は十四歳、三男坊で、下には妹がふたりと末の弟がひとりいる。これはまだ幼子《おきなご》だからともかくとして、妹たちはそれぞれ子守奉公や女中奉公に出られる年頃だから、彼女たちの将来の働き口に障らないようにするためにも、大いに気張って働かねばならない。彼としては子供なりに堅い決意を抱いているつもりだが、それでも上乗せに「真面目にやれ」と念を押されると気が滅入った。

そのせいか、実際に奉公にあがってみると、あれこれ気に病んだり気を回したり気負ったりしているよりも、ずっと気が楽になったのが面白い。確かに大黒屋はうるさく厳しいお店で、来たばかりの丁稚《でっち》の小僧など人間扱いはしてくれず、銀次の名前さえ覚えてはくれない。おいこらで追い使われる毎日だ。だが、それは奉公人なら誰でも通り抜ける当たり前の処遇で、日々の暮らしは、骨の芯《しん》までくたびれるほどに働かなくてはならないけれど、心のなかは安らかだった。

以前、藪入《やぶい》りで帰ってきたときに長兄がこんこんと説いて聞かせてくれた話では、彼の奉公先では古参の奉公人たちが傍若無人に幅を利かせており、年長の手代たちからそれはそれはひどい虐《いじ》めをされたそうで、飯は抜かれるわ便所に突き落とされるわ、布団蒸しにされるわ殴られるわ蹴《け》られるわ、話だけ聞いていると、兄貴は大伝馬町の木綿問屋ではなく牢屋《ろうや》に入ってしまったのではないかと思うほどだった。だが、大黒屋の銀次の身の上に、そんなことは起こらなかった。なるほど万年屋の親父は嘘をつかなかった。厳しい方が結局は楽だというのはこういうことなのだろう。

大黒屋の主人夫婦はそろってまだ四十代半ばで、きりきりと先頭に立って商いを切り回している。彼らの目が隅々にまで届いているということが、この店の背骨がきりっと伸びている理由のひとつだろう。万年屋の親父が、大黒屋は旦那《だんな》が船頭だからいいんだというようなことを言っていたことがあるのを思い出して、銀次は子供なりに納得したものである。

先代の主人は十年前に隠居し、今では向島《むこうじま》にある別宅で釣りをしたり俳諧《はいかい》をしたりと、趣味人の暮らしをしている。銀次がこの大旦那に会う機会など、普通は無い。ところが、春先の陽気が不安定なころ、大旦那が風邪をこじらせて寝込んでしまい、そのせいでお遣い事が急に増えた。多いときには日に三度も、通瀬戸物町と向島のあいだを行ったり来たりしなければならない。物や手紙を運んだり、受け取って持ち帰ったりするだけの用が大半だから、自然とそれは、まだ奉公人としては半人前以下で、走って行って来いと言われれば本当に走って向島まで行く愚直な丁稚の仕事となるわけで、銀次はしばしば向島へ通った。大旦那さまの顔も見た。痩《や》せた小柄な老人で、病気のせいか青黒い顔をしており、まぶたが妙にふくらんでいた。後になって思えば、病は風邪などではなく、もっと重い種類のものだったのかもしれない。

さて、大黒屋には跡取りがいる。主人夫婦の一人息子で、歳は二十歳、名を藤一郎という。なんでも藤の花の盛りに生まれ、まるで人形のように目鼻立ちの整った美しい赤ん坊だったのだそうだ。成人した今も、その名に恥じない美形の若者で、日本橋通町あたりの若い娘たちを始終きゃあきゃあ言わせている。

この若旦那藤一郎は、子供のころ、向島の大旦那に舐《な》めるように可愛がられて育った。今でも大旦那のいちばんのお気に入りである。だから大旦那が臥《ふ》せってからというもの、病人を元気づけるために、頻繁に向島へ通うようになった。それだから、向島へお遣いに走る銀次とも、二回に一回は一緒になった。

そういう折、育ちのいい若者の常なのか、藤一郎はおっとりと優しくて、まだ物慣れない子供の銀次を哀れに思うのか、しきりと親切にしてくれた。銀次の一生懸命なお遣い走りぶりもよかったのかもしれない。次第に、お遣いの用はなくても、若旦那が向島へ行こうという時には銀次を呼び寄せ、雨の日には傘をささせ、夜道には提灯《ちょうちん》を持たせて連れて行くという習慣ができた。こうなると、銀次の上の手代たちのなかには、やっかんで銀次に意地悪する向きもないではなく、銀次とて自分がとりわけ若旦那の役に立っていると思ってはおらず、実を言うとかなり有り難迷惑の時もあるのだが、しかし、気に入ってくれているものを退けるのは、憎んで虐めるものから逃げるよりも難しい。仕方なく、銀次は若旦那に呼ばれるたびにくっついて歩いた。

そうやって若旦那のお供をしていると、よく若い娘に声をかけられた。たいていは先方も小女《こおんな》や年長の女中を従えた町娘で、いずれどこかのお店のお嬢さんであるのだろう。お稽古《けいこ》や買物、信心参りの行き帰りに、つと若旦那と行き会って、あらこんにちはという具合なのだろうと、最初のうちは銀次も考えていた。だが、そういう回数が重なると――特に、おや一昨日《おとつい》も会ったお嬢さんだ、そういえば、この前もここで会ったっけ――というようなことが続くと、これは仕組まれた邂逅《かいこう》で、先方は若旦那の向島通いを承知していて、通り道で待ち伏せているのではないかと察するようになった。

銀次も子供は子供ながらに男であるから、女に追っかけられる若旦那が羨《うらや》ましくないはずはない。人が生まれを選ぶことができないのは承知の上だが、金持ちで見かけがよくって何の苦労もなさそうな若旦那と、早くに家を出て汗みずくで働きまくる自分の身の上とを照らし合わせると、なるほど次兄が道を踏み外して遊び人になったのも、なんとなく判るような気がしてくる銀次であった。

ところが、ちょうど端午の節句を過ぎたばかりのころだったろうか、いつものように病人のご機嫌伺いに行った向島の別宅で、思いがけず大旦那と若旦那が激しく言い争いをする場面に出くわした。話はどうやら商いのことらしく、大旦那がしわがれた声をはげまして、「生意気だ」とか「十年早い」とか、かなりきつい物言いをしているのを、銀次は仰天しながら盗み聞いた。

若旦那のお供をして別宅へ行っても、銀次はけっしてさぼっているわけではない。別宅には大旦那付きの女中と下男がいるが、彼らは銀次が通瀬戸物町から来るのを今か今かと待ち受けていて、矢継ぎ早に用を言いつける。これはどうやら、お店の方からそういうお達しが来ているのだろう。追い使われるのは同じである。この日もまず水汲《みずく》みをして、薪《まき》割《わ》りをして、それから裏庭の篠竹《しのだけ》が繁《しげ》りすぎて見苦しいからおまえ切ってこいと、鉈《なた》を一丁持たされて藪のなかに追い込まれた。仕方なく、羽虫に刺されながら不器用に鉈をふるっているところに、座敷の方から喧嘩腰《けんかごし》のやりとりが聞こえてきたという次第である。

若旦那は手拭《てぬぐ》いがどうしたこうしたと言っている。大黒屋は、商い物として手拭いを扱ったことはない。不審に思っていると、染めがどうのこうのと言葉が続き、大旦那がぴしゃりと「うるさい」とたしなめた。

「いったい誰にそんな話を吹き込まれたんだ。だいたい、その話がどういうふうに終わるのか、おまえはそこまで聞いたのか？」

大旦那が激して言い募る。

「知っていますよ。そのお店はつぶれたのでしょう？　でも、それとこれとは別の話ですよ。闕所《けっしょ》になったのはあくまで御改革に引っかかったからで――」

「いやいや、そうじゃない」大旦那は急《せ》き込んで割って入った。「いいかい、よくお聞き。何よりも悪かったのは、心中をしようなんていう男と女を惹《ひ》きつけるようなものをこしらえたことだ。それがそもそも間違いだった。商いではそういうことはしちゃいけないんだよ」

「それはおかしい」

若旦那も負けてはいない。

「物語模様の染め手拭いを心中に使ったのは、使った者の勝手ですよ。作った方が悪いわけじゃない。売れる物を作りたいのは商人の正直な本音でしょう」

「問屋は物を作る仕事じゃあないよ。そこをはき違えるなんざとんでもない」

銀次は熱心にやりとりを聞いていたが、裏庭を回って女中が近づいてくる足音を聞きつけた。篠竹が揺れもせず倒れもしないので、銀次がさぼっているのではないかと、とっちめに来たのだろう。急いで鉈を振り上げた。自分の周りでがさがさという音をたて始めると、座敷でのやりとりははっきり聞こえなくなってしまった。

その日お店《たな》へ帰る道々、若旦那はひどく不機嫌だった。傾きかけた春の日差しのなかで、銀次は首を縮めて黙々と若旦那の歩みに従い、遠くの雑木林の陰に、節句を過ぎても出しっぱなしにされている一対の鯉のぼりを見つけ、妙に寂しそうだなあなどと考えていた。若旦那を慰めてあげたいと思ったけれど、何を言ったらいいか判らないし、何を言っても的外れのような気もした。

その日以来、若旦那は向島には寄りつかなくなった。いっそさっぱりとするくらい、足が遠くなった。女中たちの噂話の断片から推して、大旦那の方は若旦那を呼んでいるのに、若旦那は行く気がないらしい。やっぱり、あれはそうとうの遺恨を残す口喧嘩になってしまったのだ。

若旦那のお供をすることがなくなって、銀次はまた忙しい丁稚《でっち》の暮らしに戻った。梅雨が来て、梅雨が去り、夏のお天道さまがかぁっと照りつけるようになり、銀次はまだ名前さえ呼んではもらえないけれど叱られることも少なくなり、大汗をかいて働けば、気むずかしい番頭の顔にもうっすらと笑みが見えるような気がして、そんな日は飯もうまく、疲れ果てて横たわる煎餅《せんべい》布団も柔らかく感じられる。いちばんの近道は真面目に働くことだと、夢のなかの万年屋の親父が悦にいっている。


七月の末のことである。

若旦那に縁談が起こった。

以前にも、話だけなら降るようにあった。今回はそれがどうやら本決まりになるらしく、大黒屋のなかは急にわきたつような明るい気分に染めあげられた。

相手は小石川伝通院《でんずういん》前の味噌《みそ》問屋の娘で、歳は十六、名はお夏という。この家は大黒屋のお内儀《かみ》の親戚《しんせき》筋にあたり、お内儀もお夏のことは、おむつのころからよく知っているという間柄だ。これなら嫁姑《よめしゅうとめ》の争いもあるまいと、女中たちが半分はつまらなそうにしゃべっている。

それにしても急な話だが、だんだんに事情が聞こえてくると、これは向島の大旦那《おおだんな》の希望によることであるらしいと判ってきた。大旦那はもう、そう長い命ではない。可愛い孫が嫁をもらい、名実ともに一人前の男となるのを見届けて、もしも間に合うのならば曽孫《ひまご》の顔も見たいという切ない願いである。

その願いを受けた大黒屋主人夫婦の方にも、若旦那が近隣の娘たちの心をさんざん騒がせていることもあり、ここらで身を固めさせなければ、過ちのひとつも起こってからでは遅いという腹づもりがあった。それならば、あたらそういうおきゃんな娘たちのなかから好いた惚《ほ》れたで嫁を迎えるよりは、気心の知れた親戚筋の娘をもらって、お雛様《ひなさま》のような若夫婦をつくった方が賢明だと考えた。

ふたつの想いが両輪になって、話は当初、するすると進んだ。両輪の上にのっかる形の当の若旦那にも、異存はまったく無いように見受けられた。銀次はさっぱり若旦那のお供から遠のいていたので、日頃の暮らしのなかでは若旦那のおそばに行くようなこともなかったが、古参の奉公人たちや女中たちの囁《ささや》き交わす言葉を聞いていると、ああ若旦那はお幸せなんだろうと安心することができたし、向島の別宅でのあの喧嘩について、若旦那は若旦那なりに後ろめたく感じていたのであり、だからこそ大旦那を喜ばせようと、この縁談を素直に受け入れるのだろうなと、ふとしんみりした気持ちにもなった。

いずれにしろ目出度いことだ。若旦那には優しくしていただいた。おいらが奉公人として本当にお役に立ち、お店の礎《いしずえ》となれるのは、まさに若旦那の代になってからのことだろう。それまでは修行と思って、至らないながらも働いて、お店に誠《まこと》を尽くそう――そんなふうに考えて、そういう自分が少しばかり大人になったように思えて嬉《うれ》しい銀次なのだった。

ところがである。

八月も半ばを過ぎ、両家のあいだで話がまとまって、あとは来年年明け早々の祝言の段取りを決めるばかりというころになって、とんでもない椿事《ちんじ》が出来《しゅったい》した。若旦那に女がいたことが露見したのである。

しかも女は大黒屋の女中であった。おはるという名で、歳は二十六、奉公にあがって十二年になる。奥を仕切る女中頭にも頼りにされることの多い、立派な中堅どころの働き手である。銀次は日頃、あまり彼女に世話をやいてもらう折はなかったが、てきぱきと働くおはるは、とてもしっかり者のように見え、反面、銀次のような新参者には、とっつきにくいような感じもした。人目に立つ美人でなく、肌は色浅黒く、小さくきゅっとしまった顎《あご》を、いつもぐいと引いてしっかり前を見つめているおはるの真摯《しんし》なまなざしは、女中というよりもむしろ、商いのことを覚えてようやく一人前になりつつある男の奉公人のそれに似ていた。

事を明らかにしたのは、おはるの方からであった。奥向きの用事を受け持つ彼女は、お内儀とじかに顔をあわせる機会も多々ある。そういう折を捕まえて、わっとばかりに泣きながらぶちまけたのだ。そのときは他に誰も居合わせず、話を聞いて動転したお内儀があわてて女中頭を呼び寄せて、駆けつけた女中頭がまた取り乱し、乱暴におはるの肩をつかんで座敷から引きずり出そうとすると、おはるはその手を振り払って叫んだ。

「乱暴なことをしないでちょうだい、あたしのお腹には若旦那の子供がいるんだから！」

お内儀は卒倒してしまった。とんだ伏兵である。警戒するべきは、若旦那をちやほやする黄色い声の町娘ではなく、日常彼のそばにいて世話をやき、彼の日々の一喜一憂を共有し、彼の心の山稜《さんりょう》の細い道を、黙ってじわじわ登ってゆこうとする寡黙な女中の方であったのだ。

話を聞いて激怒した主人は若旦那を呼びつけた。若旦那はうなだれて白状した。すべてはおはるの言うとおりだと認めたのである。ふたりの関係は、この二年ほどのことであった。彼の方から関係を断ち切ろうと試みたこともあったが、なにしろ彼女とは毎日顔をあわせるのだし、結局はずるずると引きずられるようにして今まで続けてきてしまったという。

それでも若旦那とて、おはるを妻に迎えるつもりは毛頭なかった。そんなことはできないよと、おはるに言って聞かせてもいた。彼女はそのたびに、自分の分はわきまえていると、健気《けなげ》に言っては彼を安心させていた。しかし子供ができたことはうち明けられていない。理屈としては自分の子であろうと思うけれど、子ができて嬉しいとか、縁談を断ってなんとしてもおはると添い遂げようという気持ちにはなれない――

おはるには気の毒だが、まあそういうことなのである。

騒動が続いているあいだ、銀次はしきりと、昔おふくろさんが話していたことを思い出した。万年屋の親父の仲介で女中奉公にあがるとき、屹度《きっと》説教をされたというのである。女中奉公の道を間違えないために、守らねばならない掟《おきて》がひとつだけある。それは、お店の若旦那に惚れるなということだ、と。

おふくろさんはそのとき、そりゃあ惚れないようにするのはいいけれど、もし惚れられて手を出されたらどうしますと聞き返したそうだ。万年屋の親父は笑いもせずに、若旦那が女中に惚れるなんてことは無い、万にひとつも無い、仮に本人が「惚れた」と言ってきてもそれは勘違いだ、だからそんなことは断じて無いと決めつけた。手を出されそうになったって、お店には他に大勢の人がいる、こっちにその覚悟があれば、身を守ることはいくらだってできる、だから要はおまえさんが気持ちのたがを緩めないことが肝心なんだと、それはもう真剣に言ったそうである。

おはるは万年屋の口利きで入った女中ではなかったのだろうか。そういう説教を聞かされてはいなかったのだろうか。聞いても忘れてしまったのか。生きて行く上で肝心要《かなめ》を押さえている説教ほど、ここいちばんというところであっさり忘れられてしまうものなのか。

結局、おはるはお店を出されることになった。ただし、おはるにはまったく身寄りが無い。若旦那にも非のあることだし、身ひとつで、というより身ふたつのままで放り出すわけにはいかない。とりあえずは、深川の先の新開地の大島村というところに家を一軒借りて、月満ちて赤ん坊が生まれるまではそこで暮らさせる。生まれた赤ん坊はいったん大黒屋が引き取るが、できるだけ早く然《しか》るべき里親を探して、そこに預ける。二度と若旦那に近づかず、赤ん坊の行き先も探らず、諦めて自分の身の振り方だけを考えるというのなら、おはるが以降、どこへ奉公しようと大黒屋は何も口をはさまないし、十二年の奉公に見合うだけのものは渡そう——これが、大黒屋がおはるの前に差し出した、できる限り好意的な条件であった。

おはるはそれを呑《の》んだ。ほかにどうしようもなかったろう。それだって大黒屋の主人夫婦が穏やかな人柄で、おはるの言い分を聞いてくれただけ幸せだったのだ。奉公人の身の上では、罵倒《ばとう》され、無一文で叩《たた》き出されても文句は言えないところだったのだ。

気丈な彼女はけっして弱音を吐かなかったが、最初の暴露のときの態度が災いして、女中頭を敵にまわし、ということは彼女の下に働く女中たちにも背かれることになり、冷たい視線をあびながらひっそりと大島村の借家に去っていった。彼女が勝手口から逃げるように出ていったあと、女中頭がそこに塩をまいているのを、銀次は見た。

「いけ図々《ずうずう》しい、大年増《おおどしま》のくせして、色仕掛けで若旦那をとりこにしてお店《たな》の身代を狙うつもりだったんだろうけど、そうは問屋が卸さないんだからね。赤ん坊だって、本当に若旦那の子供かどうか知れたもんじゃない」

今さらそんなになじらなくてもと銀次は思ったが、こういうことには女の方が厳しいのかもしれないと思い直した。おはるは確かに、してはいけないことをした。あの真っ直ぐなまなざしで、見てはいけない夢を見た。緩めてはいけないたがを緩めた。

おはるを振り落とした大黒屋は、若旦那の縁談を進めていった。こうなると、おはるは最初からお店に居なかったようなものだった。皆、おはるを忘れるのではなく、おはるを消してしまうことで、すっかり安心してしまったようだった。

若旦那は本当にこれでいいのかと、銀次は銀次なりにいぶかるところもある。赤ん坊まで生した仲のおはるを追い出して、別の娘を妻に迎える。銀次には、とうていできそうにない。きっとおはるを思い出すだろう。赤ん坊のことも気になるだろう。そんなことをぽつりともらすと、お店の仲間に鼻で笑われた。

「おまえだって、金があって後ろ盾があって、女にちやほやされて選《よ》り取りみどりだったらば、おはるなんかにこだわるはずがないさ」

「だけど、若旦那だって、一度はおはるさんが好きだったんでしょう?」

「好きだからできるってわけじゃないさ。できるときは、何にもなくたってできてしまうんだ。男はそういうもんなんだよ。それが判らないなんて、やっぱりおまえはまだまだ子供だな」

銀次はそのとき、急に大黒屋にいるのが嫌になった。このままずっと奉公をしていって、年月が過ぎて、若旦那がお店の跡を継いで当主になって、貫禄《かんろく》がついて立派になって、それをずっと下の方から見上げるようにして見守りながら、銀次はおはるのことを忘れはしないだろうし、おはるの赤ん坊のことも忘れはしないだろう。幸せな若旦那の後ろ側に、痩《や》せたおはるの影法師と、それに抱かれた小さな赤ん坊の、まだよく首もすわらない影の形を描いてしまうだろう。男はそういうもんなんだと割り切る知恵の無いうちに、追い立てられるようにして去っていったおはるの背中を見てしまったのは不運だった。

また外へお遣いに出されるようなことがあれば、走って万年屋に寄り道して、親父にこのことをうち明けるのに。あの親父なら、こんなときどうすればいいか、きっと教えてくれるだろうに。

そんなふうに考えながら、厳しい残暑の照り返しのなかを暮らしていたある日、ひとりで蔵まわりの掃除をしているところへ、そっと若旦那《わかだんな》がやってきた。声をかけられて、銀次は飛び上がるほどに驚いた。

「驚かせてごめんよ。ちょっと頼みがあって来たんだよ」

流行《はやり》の瓢箪《ひょうたん》と蝙蝠《こうもり》の縞柄《しまがら》の、ちょっと派手な着物を着て、小作りの顔に合うように髷《まげ》も小さめに結い、若旦那は縁談が決まって以来、一段と男ぶりをあげたようだ。

「おまえね、あとで私がおまえを呼んで、芝口の内藤さんのところへお遣いに行っておくれと頼むからね、そうしたらハイと行って出かけておくれ。遣いの中身は、内藤のおじさんに借りた歌本をお返しにあがるということだからね」

ひと息に言って、ちらと周りを気にすると、若旦那はもうひと足銀次に近づいて、一段と声を潜めた。

「だけど本当は、そのお遣いの中身は違うんだ。おまえには、大島村へ行ってもらいたいんだよ。おはるのところへ」

銀次は思わず目を見開いた。若旦那はその目を見つめてうなずいた。

「あれの様子を見に行ってほしいんだ。あとで言付けるから、着物を渡してやってほしい。私のせめてもの気持ちだと言っていたって、伝えてやってくれないか」

やっとのことで言葉を探して、銀次は言った。「そんなこと、やってもよろしいんですか」

若旦那は気弱そうに笑った。「おとっつあんもおっかさんも許しはしないだろう。だけど、私はやっぱりあれには申し訳ないと思って……」

若旦那は、両袖《りょうそで》からのぞく白い腕を胸の前に組んで、首をうなだれた。

「このところ、毎晩のようにおはるの夢を見るんだ。あれが真っ青な顔をしてやってきて、私の枕元に座るんだ」

おはるは死んではいないのに、まるで幽霊話である。

「生霊《いきりょう》というのかね。あれは私を恨んでいるんだろう。慰んで捨てるようなことになってしまったからね。それぐらいなら、最初から相手にしなければよかったんだが」

悲しそう……というよりも、若旦那は怖がっているんだ。銀次はやっと、そのことに気づいた。若旦那の暗い瞳《ひとみ》は、銀次からそれて足元ばかり見ている。そして、一度傾けてしまった大きな水瓶《みずがめ》から水が溢《あふ》れ出て止まらないように、あとからあとから言葉を吐き出してしゃべり続けた。

「あれは私と深い仲になると、時々、この世では添い遂げられないけれどあの世では一緒になれるとか、結ばれる男と女は赤ん坊のときから足の裏に合い印がついているから、引き離すことはできない、無理に離せばふたりとも死んでしまうんだとか、おかしなことを言ったもんだよ。芯《しん》が恐い女だった。私の妻になるなんて、分不相応な望みは抱いていないと言いながら、本音では何を考えているか、よく判らないところがあった。そういえば妙に物知りでね、どこから聞き込んだのか知らないが、昔、男と女の心中に使われた染め手拭《てぬぐ》いで大儲《おおもう》けをした問屋の話なんぞしてくれて……。その話は面白かったな。私もおとっつあんのならしてくれた道ばっかり歩くのじゃつまらないから、自分なりの商《あきな》いをしてみたい。だからその染め手拭いの話なんかどうかと思って向島で相談したら、お祖父《じい》さんにこっぴどく叱られて、喧嘩《けんか》になってしまったよ。それをおはるに話すと、あれも怒っていたっけね。今、毎晩私の枕元に立つおはるの顔も、そのときと同じ怒った顔だ。だから私は怖くって、なんだかこのままでは許してもらえないような気がしてね」

向島での口喧嘩はそういうことだったのか。それにしても若旦那はなんでこんなによくしゃべるんだろう。おはるが恐い女だなんて、わざわざ言わなくたってお遣いは引き受けるのに。銀次としては、聞きたい話ではないのに。

「あい判りました」と、銀次は努めて丁寧に言った。

「だけども若旦那、わたしは大島村のおはるさんの住まいを存じません」

「ああ、それなら大丈夫だよ。着物の包みのなかに、一緒に地図も入れておくから。おまえ、もう字は読めるのだろう？」

夏の始めのころから、銀次はすぐ上の手代に読み書き算盤《そろばん》を教えてもらっていた。

「はい、ひらがなならだいたいは読めます」

「じゃあ、頼んだよ」

若旦那は足音を忍ばせて母屋の方へ戻っていった。その後ろ姿の妙にほっそりとしているのを、銀次はしばしぼうっと眺めていた。

それからしばらくすると、段取り通りに若旦那に呼ばれた。言われた通りにお遣いを引き受け、芝口へ向かうようなふりをして、途中からくるりと踵《きびす》を返した。大島村は大川を渡り、深川よりもまだ先だ。

早足で歩きながら、出がけに渡された風呂敷包みを探ってみると、きちんとたたんだ仕立て下ろしの着物のあいだに、紙切れに地図を描いたものがはさまっていた。着物はさっき若旦那が着ていたのと同じ、瓢箪と蝙蝠の縞模様だった。たしか舞台で団十郎が着て評判になり、ぱあっと流行った柄である。こんな派手なものをおはるが持っていたら、すぐに若旦那が贈ったとばれてしまいやしないかしら。だいいち、こんなもの、若旦那は誰に仕立てさせたのだろう。

実を言えばこの日、銀次は朝からひどく疲れていた。この日ばかりでなく、この十日ばかりはずっとそうだった。ほかでもない、毎晩寝る前に算盤の稽古《けいこ》をしているからである。

銀次は読み書きは好きだったけれど、算盤はどうも苦手で、一緒に習っているもうひとりの丁稚《でっち》と比べると、駆け足とはいいはいいほどに、学ぶ速さに差があった。先生役の手代は厳しく、びしびしと銀次を叱りつけるし、銀次自身も自分ばかり負けるのは小癪《こしゃく》なので、眠る時間を削ってでも稽古を重ねていたのである。月のある夜は明かりは要らないし、そうでないときも常夜灯のついている勝手口の方まで出ていけば、誰に邪魔されることもなく、気が済むまで算盤をはじくことができる。

そういうことをしていれば、疲れが溜《た》まってくるのは当たり前だった。昼間でも、誰かの仕事を手伝っているときはまだいいが、ひとりで掃除をしたり、帳面と蔵の反物の数を付き合わせる作業をしているときなど、思わず知らずこっくりと舟を漕《こ》いで、顎《あご》ががくりと下がって目が覚めるということもよくあった。

今も、話す相手もなしにとぼとぼと歩いていると、歩きながら眠ってしまいそうだ。それを避けるために、銀次はなるべく駆けるようにした。日本橋通瀬戸物町から芝口へ行くのと、大島村へ行くのと、どちらの方が遠いのか、銀次にはよく判らない。だが地図で見る限り、深川猿江町の御籾倉《おもみぐら》を越えた先は真っ白で、目立つ建物など描かれていない。おおかた田圃《たんぼ》ばかりなのだろう。しかも大島村はまだその先にある。これはもう新開地とはいえ相当の田舎である。急ぐに越したことはない。

そうやってたどりついた大島村は、やはり思ったとおりの田圃が続く眺めで、馬や牛がのんびりと草をはみ、下肥《しもごえ》の匂いが漂い、踏みしめる足の下の土の感触は柔らかく、残暑のお天道さまが輝く青い空も、一段と高く澄み渡っているように見えた。

途中で草取りをしている人に道を訊《き》くと、おはるの借りている家はすぐに知れた。このあたりの村の者にとっては、よそ者は珍しいのだ。すぐに指さして教えてくれたわらぶき屋根の平屋は、広々とした田圃の真ん中に、取り残されたようにぽつりと建っていた。大黒屋を追い出されたときのおはるのように、寂しそうにひとりぼっちだった。

おはるはひとりで居るはずもなく、誰か小女ぐらいは付いているはずだ。家に近づくと、芝垣の前に立って、銀次はぐるりを見回した。人の気配はなかった。誰か出てきて、こちらが声をかける前に見つけてはくれないものか。

だが、誰もいない。仕方なしに垣根の内側に入り、足元の平たい飛び石を律儀に踏んで、竈口《かまどぐち》の見える方へと回った。

家のなかはしんとしている。

「ごめんください」

応《こた》える声は聞こえない。

「ごめんください、瀬戸物町からお遣いに参りました」

物音ひとつしない。

銀次は台所の土間の上がり口に腰をおろし、ため息をついて、手近の柱にもたれた。くたびれた。さあどうしよう。若旦那から言い付かった包みだけ置いて帰ろうか。だけどそれでは受け取った方も何がなんだか判らないだろう。判らなければ、おはるが若旦那を少しでも勘弁して、もう怖い夢枕に立つようなことはやめようと、気持ちを和らげるきっかけにもならない。

それでは用が足りない。銀次は若旦那《わかだんな》をかばうわけではないけれど、少しばかり同情する気持ちはあり、おはるも気の毒だけれど、今さら恨んでも何もいいことはないと、事を見分けるくらいの知恵はあった。頼まれたことはきちんとやって、若旦那の気を楽にしてさしあげたい。それはやっぱり、銀次はまだ子供ではあるけれど、男でもあるのだから。

よっこらしょと立ち上がり、また飛び石のあたりまで戻ってみる。周囲に広がる田圃にはまばらに人や牛の姿が見えるが、そこまで走っていって、あの借家の人がどこに出かけているか知っていますかと尋ねる元気が出てこなかった。

また台所に戻り、土間に腰かけた。少し待ってみようか。おはるは小女を連れて、散歩にでも出ているのかもしれない。こんな鄙《ひな》びたところでは、たとえば髪油ひとつを買うにしたって深川まで出て行かねばならないだろう。待っていればそのうち戻ってくる。おはるにどこへ行くあてがあるわけもないのだから。

土間は涼しくて気持ちよかった。歩き疲れた足をあげて、銀次はのんびりと目を閉じた。ふうと息を吐くと、気が抜けた。眠くなってきた。それはもう誘われるような心地よさで、自分でもそれと気づかないうちに、乳をもらって満腹した赤ん坊のように、ころりと眠りのなかに落ち込んでしまった。

そして夢を見た。

どことも知れない深い淵《ふち》をのぞきこんで、銀次は真っ暗な夜の闇のなかに立っていた。見上げる頭上の暗がりよりも、足元の淵の方がずっと明るく、水は底光りして碧《あお》く輝いていた。冷たそうな、澄み切った水だ。

その水の上を、一組の男女が仰《あおむ》向けになって流れてくる。遠く暗い闇の先から、銀次のすぐ足元へと流れてくる。

若旦那とおはるだった。

ふたりは揃いの瓢簞《ひょうたん》と蝙蝠《こうもり》の縞柄《しまがら》の着物を着て、右手と左手をしっかりと手拭いで結びあわせていた。ふたりとも目を閉じて、眠っているみたいに安らかな顔をしている。ふたりが銀次のすぐ足元まで流されてくると、淵の水に浸《つ》かったおはるの髷《まげ》が半分がた崩れて、髪が黒く長い藻のように水中にたなびいているのが見えた。

息を詰めて見つめる銀次の前で、おはるがぱちりと目を開いた。どこかでざぶんと水音がした。

びくっと身体を縮めて、銀次は目を覚ました。自分がすっかり眠りこけていたことに気がつくと、どっと冷や汗が出た。心の臓がどくんどくんと高鳴っている。どのくらい眠ってしまっていたのだろう？　お天道さまの傾きが大きくなったようには見えないから、ほんの少しのあいだだろう。でも判らない。頭はぼうっとしているし、柱にもたれていたせいで背中が痛い。

「ごめんください」

誰か戻ってはいないかしら、照れかくしに、バカに大きな声を出した。台所の高い天井に、銀次の声が響いて消える。

「ごめんください、おはるさん、お留守ですか？」

すると、台所から短い廊下を経た先の障子の向こうで、はじけるようにくすくすと、若い女の笑い声があがった。

銀次はほっとした。誰か居るのだ。銀次があんまり気持ちよさそうに居眠りをしているので、そっとしておいてくれたのだろう。それはそれで恥ずかしいが、でも用が足りるのは有り難い。銀次は脇に置いておいた風呂敷包みを胸に抱きしめると、履き物を脱いで土間からあがった。

「ごめんください、あがらしてもらいます」

大きく声をかけておいて、障子に近寄り、開けますと断ってから、そっと手をかけた。敷居には油が引いてあるかのようで、ほとんど力を入れなくてもすうと開いた。

そこは六畳の座敷だった。小さな簞笥《たんす》と物入れと、壁際に衣紋《えもん》かけ、火鉢と鉄瓶。

そして座敷の真ん中に、男女がふたり、入り乱れるようにして倒れていた。

女は仰向けになっていた。間違いようもないおはるの顔だった。男は俯《うつぶ》せになっていたが、のぞきこむまでもなく、わずかに横にかしいだ顔の高い鼻梁《びりょう》を見るだけで、ああ若旦那だと知れた。

おはるの目は笑っていた。少なくとも、我が身に降りかかった思いがけない出来事に驚いているという色は、その瞳《め》のどこを探しても見あたらなかった。

若旦那の左の手首と、おはるの右の手首は、風変わりな紫色に染め上げられた手拭《てぬぐ》いで、堅く結びつけられていた。何か白い花のような柄が、裾《すそ》のところにちらりと見えた。あんまり強く縛ってあるので、若旦那もおはるも、その下の皮膚の色が変わってしまっていた。

死んでいるのだろうか。いや、死んでいるに決まっている。だけど、銀次をここへ送り出した若旦那が、どうして先回りしてここで死ぬことができるだろう？

若旦那はお店で着ていたあの着物を身につけている。おはるも同じ柄の着物を着ている。おかしい。この柄の着物を届けるために、銀次はここへやってきたのだ。銀次から、今彼が胸に抱いている風呂敷包みを受け取らない限り、おはるが瓢簞と蝙蝠の縞柄の着物を着ることはできないはずなのだ。

そうか、これは夢だ。俺はまだ夢の続きを見ているのだ。銀次は思った。目を覚ましたつもりだけど、本当はまだ居眠りをしているのだ。

ぶうんという羽音がして、一匹の蠅が飛んできた。銀次の鼻先をかすめて過ぎたそれは、迷うように輪を描いてから、おはるの開きっぱなしの目の上にちょんととまった。

また、若い女のはじけるような笑い声が聞こえた。

それで呪縛《じゅばく》が解けた。これは夢だ、夢だと思いながら、銀次はわなわなと震え、抱えていた風呂敷包みを足元に落とした。うわあというような声をあげ、転がるように座敷を飛び出すと、履き物をつっかけて外へまろび出た。

走って、走って通瀬戸物町を目指した。風より速く、息が切れても立ち止まらず、鬼神に追われるように走った。途中で幾度か木戸番に呼び止められたが、答えるために足を止めるなんて、恐ろしくてできなかった。誰かが大声で呼びながら追いかけてきたが、それにも見向きもしなかった。そのうちに、大川を渡る永代橋《えいたいばし》のすぐ手前で、背後から誰かが飛びかかってきて、どっとばかりに銀次は倒れた。

「おい小僧さん、大丈夫か？　泡を吹いてるじゃねえか、いったいどうしたんだ？　何から逃げてるんだ、言ってみな」

きっぱりと問いかける正気の声の主をよく見れば、えらの張ったいかつい顔の、四十過ぎの男である。顎《あご》をがくがくとわななかせながら見つめる銀次に、男はこのあたりを仕切っている岡っ引きだと名乗り、おまえは大した韋駄天《いだてん》だ、俺の手下《てか》がふたりも振り切られたと苦笑いをした。

「このまんま橋まで駆けていって、どぶんと飛び込まれでもしたら厄介だと思ったんだ。どうした小僧、お狐さんにでもからかわれたかい？　深川あたりには多いからな」

集まってきた野次馬のひとりが、だけど親分、白粉《おしろい》の匂いのするお狐さんは、この小僧さんにはまだ早いよねとからかった。

銀次はぼろりと涙をこぼした。口がうまく回らなくて、最初のうちは言葉が言葉にならなかった。また涙がかさんできて、身体が震え始め、気が付くと手放しでおいおい泣いていた。

銀次は大熱を出して寝込んでしまい、大黒屋には帰らず、いったん万年屋の親父の元に引き取られた。そこで三日三晩高熱にうなされ、熱は下がってもしばらく正気に戻らず、やっとまともに話をできるようになるまで十日もかかって、万年屋の親父を心配させた。

永代橋東で助けてくれた親切な岡っ引きは、銀次の話をそのまま大黒屋に持っていくような粗忽者《そこつもの》ではなかったが、銀次の狂ったような遁走《とんそう》を軽くあしらいもしなかった。裏返せばそれだけ、走りに走っているときの銀次の様子にただならぬものがあったのだろう。彼は大島村の借家を調べに行った。大黒屋の近所でおはるの評判も聞いた。そうやって調べておいて、ようよう起きあがれるようになった銀次のところに話をしにやってきた。

「おはるという女は、あの借家には住んでいなかったよ」と岡っ引きは言った。「もっとも、おまえの見たような亡骸《なきがら》もなかった。あすこに押し込められて間もなく、夜逃げのようにして居なくなったようだ。大黒屋の計らいで付けられていた小女は、おはるに言われてとっとと実家に戻っていた。その小女の話じゃ、おはるは最初《はな》から、こんなところにおとなしくしているつもりはない、出ていってやるといきまいていたそうだ」

銀次がぶるりと震えると、万年屋の親父が丹前を着せかけてくれた。

「それと、大黒屋の若旦那は無事でぴんぴんしているぜ」岡っ引きは言って、渋い顔をした。「心中なんてしちゃいない。おまえがおかしくなったことを伝えても、まあ親の手前だろうが、何のことでしょうという顔をしていた。ただなあ……」

ごつい顎をごりごりかいて、岡っ引きは上目遣いに万年屋の顔を見た。万年屋も目配せを返した。

銀次は訊《き》いた。「何ですか、教えてくださいよ、親分さん」

ほうと息をついて、岡っ引きは言った。

「俺が会いに行ったとき、大黒屋の若旦那の左の手首には、何かで強く縛った痕《あと》みたいな、青紫色の痣《あざ》がついていた。こう、ぐるっとな」

銀次は目をつぶった。

万年屋の親父が淡々と言った。「銀次はもう、大黒屋から引いた方がいいな」

素っ気ない口調だった。

「こういうことがあると、お店《たな》ってのはいいことがないんだよ。だから心配するな。おまえの奉公口は、俺がめっけてやる」

「まあ、世間にはいろんなことがあるってことだよ、小僧」と、岡っ引きは言って、ひょいと口の端を吊りあげて笑った。


結局のところ、銀次には、大島村の借家で見たのは夢だったのか、それとも何かの印だったのか、あるいは兆しだったのか、さっぱり判らないままだった。若旦那はその後も元気で、年明けにはお夏を嫁に迎えた。

そのころには銀次は次の奉公先に入っていた。近場は嫌だろうという万年屋の計らいで、駿河台下《するがだいした》の薬種問屋を選んでもらった。新しいお店での仕事は厳しいが面白く、それにこれも万年屋の親父の配慮だったのだろうが、このお店の跡取りは一人娘で、すでに奉公人あがりの穏やかな婿がおり、お店のなかも落ち着いていて、少しばかり温《ぬる》いくらいに居心地がよかった。銀次はここでも読み書き算盤を習い続けたが、眠らずに頑張るような無理はもうしなかった。

――あの夏、大島村のあの家で、おめえは居眠りして悪い夢を見たんだ。万事そういうことにしておけ。

岡っ引きの言葉を、忘れることはなかった。二度と居眠りなどするものか。

銀次が駿河台下へ移って二年ほどして、藪《やぶ》入りで家に帰ったとき、やはり大伝馬町の柏屋から戻ってきていた長兄に、先月、大黒屋の若夫婦が亡くなったという話を聞かされた。何事もないように寝間に入り、朝起きてこないので女中が様子を見に行くと、寝床の上で血だらけになって相対死《あいたいじに》していたという。二人の傍に、台所から持ち出されたらしい包丁が落ちていた。心中の理由には誰も心当たりはなく、若内儀《わかおかみ》の腹には赤ん坊がいた。大黒屋のお内儀は心痛のあまり寝込んでしまったそうである。

銀次は内心震え上がったが、母親の手前、顔には出さずにおいた。ただ、ひとつだけ兄に尋ねずにはおられなかった。

「おふたりは、手首を手拭いで縛っていたんだろうか？」

さあ、そこまでは知らないと兄は答えた。その心中の直後に、ずっと寝たり起きたりだった向島の大旦那も亡くなり、大黒屋はさんざんだと気の毒そうに付け加えた。

あの夏のことはもう済んだ。自分が見たのは果たして悪い夢であったのか、それともこれから起こる出来事の予兆だったのか、判らないままでいい。銀次はそう思った。ああ結局、おはるさんは思いをとげたんだなあと思ったが、そんなことを考えていると、かえって彼女を呼び寄せてしまうような気がして、あわてて頭を振ってその考えを追い払った。

こういうことがあると、お店にはいいことがないという万年屋の親父の言葉に外れはなかった。それから半年ほどで、泥壁が水に崩れるように、大黒屋はつぶれた。家人が家屋敷を離れた後、そこを買った新しい家主が建物を調べると、表向きは立派な建屋だが、土間の根太《ねだ》がすっかり腐っていて、結局は壊すことになったという。

それきり、通瀬戸物町には近づいていない。銀次は居眠りをしないし、派手な縞柄《しまがら》も嫌いだし、物語模様の着物や手拭いも手にしない一人前の男になって、薬種問屋で奉公に励んでいる。

影牢

はい、左様でございます。深川六間堀町の蠟《ろう》問屋、岡田屋の一番番頭を務めておりました松五郎《まつごろう》とは、手前のことでございます。この小糠雨《こぬかあめ》のなか、わざわざお訪ねをいただきまして、有り難うございます。

磯部《いそべ》さまとおっしゃいますか——失礼ではございますが、ずいぶんとお若くお見受けいたします。岡田屋の一件でお訊《たず》ねをということでございましたが——はあ、二十一歳——と申しますと、久一郎《ひきいちろう》さまと同じ歳のお生まれということになりますか。干支《えと》は辰《たつ》でございますね。久一郎さまをご存じで？　しかし、商人《あきんど》の倅《せがれ》がこんなご立派なお武家さまと、はてどこでお目にかかる折が——

は？　はあ、お千代さま。お千代さまをご存じだったのでございますか。

磯部さま——磯部いそべ——

あ！　なるほどそれなら手前も得心が参ります。年寄りのことで、手間がかかりまして申し訳ございません。お武家さまは、お千代さまが二年ばかり行儀見習いに参られていた、八丁堀北の組屋敷の、あの磯部さまなのでございますね。それでは手前が存じ上げている与力《よりき》の磯部さまは、貴男《あなた》さまのお父上の磯部新右衛門《しんえもん》さま、はい、お千代さまがご奉公にあがる際に、手前も一緒にお目通りいたしましてご挨拶《あいさつ》を申し上げました。あれはまだ、大旦那《おおだんな》さまもお多津《たづ》さまもお元気なころのこと、そう、もう七年ほど昔のことになりましょうか。思い起こせば懐かしゅうございます。

お父上の磯部さまは、ますますご健勝のことと存じ上げますが……ほう、左様でございますか。それはおめでとうございます。貴男さまのような素晴らしい跡取りがいらっしゃいますならば、お父上の磯部さまも、安心してご隠居になられますですねえ。手前は岡田屋に奉公をさせていただいて五十年、何の後悔も、残す気持ちのかけらもございませんが、身の置き所を生涯お店《たな》の屋根の下ひとつに思い定めて、所帯を持つことは遂にございませんでしたから、当たり前ではございますが、子や孫には恵まれません。この歳になりますと、ふと、それが淋《さび》しいような気がする折もございます。手前もこうして今は、たった一人の身内である、弟の家に厄介になる身の上。弟も、あれの女房も子供たちも、そろって優しくしてはくれますが、やはり他人は他人、あちらも気を遣えばこちらも気を兼ね返すという按配《あんばい》で、肩身の狭いことに間違いはございません。

それでも……手前のようなつまらない者でさえ、岡田屋があのような悲しい事にならなければまだほかに、老いの身の使い道があったろうものの……。

いいえ、今さらこんな泣き言を申し上げても詮無《せんな》いことでございます。ああ、いいえ、手前ならば大丈夫でございます。年寄りは涙もろくて困るとお笑いくださいまし。ご無礼を仕《つかまつ》りました。

それよりも何よりも、磯部さまはほかでもない、その岡田屋の一件でこの年寄りをお見舞いくだすったのでございましたね。かれこれ三月《みつき》は先《せん》の出来事でございますし、なにしろあのように忌まわしい事件でございましたから、磯部さまが手前に、いったい何をお訊ねになりたいのか、少々恐ろしい心持ちもいたしますが……。

はい、まったくおっしゃるとおり、事の次第は、磯部さまご存じのとおりでございます。主人の市兵衛《いちべえ》さま、おかみのお夏さま、長男で跡取りの久一郎さま、次男の清治郎《せいじろう》さま、たった一人の娘のお千代さま、そして末の春治郎《はるじろう》さま——皆、逝《い》ってしまいました。恐れをなした奉公人たちも四散しまして、手前だけ……この老いぼれだけが残る仕儀と相成りました。

岡田屋は、もうこの世のものではございません。

＊

ほう……あの家においでになった。それはいつのことでございますか。昨日？　では、昨夜はさぞかし悪い夢を御覧になったのではありませんか。

ははは、それはそれはお見事なことで。なにしろ、都合七人もの死人《しびと》を出した家でございます。畳も家具もそのままに、手前たち奉公人はあの家から命からがら逃げ出した身でございますから、二度と近づこうとは思いません。磯部さまは、お父上さま譲りの剛胆なお人柄なのでございますねえ。

はい……こんな言葉を口にすれば、情もなければ恩知らず、罰当たりの申し状のように聞こえることは、手前とて重々承知の上でございます。それでも手前は、今ではあの家が──かつての岡田屋であったあの家が恐ろしくてたまりません。

手前は岡田屋に、ちょうど十の歳から奉公にあがりました。ふた親はそろって上州の生まれ、食うに困って逃げ出した駆け落ち者でございます。江戸に出て参りましてからは、二人して半端仕事で食いつなぎ、そのくせ絵に描いたような貧乏人の子沢山、手前を頭に男四人、女一人、あわせて五人の子供をこしらえました。末の弟など、手前が奉公に出たときにはまだ赤ん坊、五年経って初めての藪入《やぶい》りで家に帰ってみると、もう腕白盛りに育ち上がっておりましたが、とんと自分の弟という実感がわきませんで、少しばかり困ったものでございます。しかし皮肉なものでございますよ。今はその末の弟が、こうして手前の面倒をみてくれているのでございますから。

あと二人の弟たちのうち、一人は十五歳を前に疱瘡《ほうそう》で死に、一人は年端もいかぬうちに家を飛び出し、以来行方知れずになったままでございます。妹は岡場所で死にました。望んで身を売ったのか、甲斐性《かいしょう》なしの親に売り飛ばされたのか、そのころには手前はもう岡田屋におりましたので、子細は存じません。そういえば影の薄い娘でございました。

手前は岡田屋に奉公にあがったおかげさまで、まっとうな人生をおくることができました。それについてはどれほど感謝をしてもし足りません。末の弟も、こうして立派に大工の棟梁《とうりょう》として世渡りをしていられるのは、子供のころから厳しく鍛えて面倒を見てくれた先代の棟梁のおかげだと申しておりますが、まことにそのとおり、手前どものような瑣末《さまつ》な者の身の上は、お仕えした家や人の在りようで、幸にもなれば貧にも落ちるものです。手前も末の弟も、その意味ではたいへんに恵まれておりました。

　ですから磯部さま、手前の岡田屋というお店に対する感謝の念には、いささかの変わりもないのでございます。それでも、今のあの家が恐ろしいこともまた確かで……。

は？　手前が？　はあ、左様でございますか？　そのような言い方をいたしましたか。なるほどおっしゃるとおりでございますね。手前は先ほど、「岡田屋はもうこの世のものではない」と申しました。普通ならば、「岡田屋の皆様はもうこの世にいない」という言い方をするべきところでございますのに。はい、はい、それは磯部さまがおっしゃるような思いが、手前のなかにございますからでしょう。

　岡田屋は、今度のことで命を落としました主人《あるじ》市兵衛の先代、治郎兵衛《じろべえ》が、ほとんど一代で興したお店でございます。手前が十の歳からお仕えしたのもこの治郎兵衛さまでございます。ですから、そのおかみのお多津さまは、手前にとっては母代わり。お二方から受けたご恩は、片時も忘れたことがございません。

　治郎兵衛さまは、ほんの五年前に流行《はやり》風邪をこじらせてふいと空しくなられるまでは、主人の座こそ市兵衛さまに譲られていたものの、大旦那さまとしてしっかりと岡田屋の舵《かじ》を握っておられました。お多津さまも、苦労知らずのお嬢様育ちのお夏さまには任せておかれないことが多いと、大おかみとして内と外を繋《つな》ぎ、きりきりと働いておられました。その様子は、手前のような生え抜きの、言ってみれば岡田屋に育てられたような者にとりましては、それはもう頼もしくも有り難い眺めでございました。

ただ――そうやって、お店の者たちが皆、大旦那さまと大おかみを慕い仰ぐことが、市兵衛さまとお夏さまにとっては癪《しゃく》のたねとなってしまったのでございましょう。大旦那さまご夫婦と旦那さまご夫婦は、日を重ね年を追うごとに、折り合いが悪くなってゆくようでございました。確かに、代替わりはしているのでございますから、主人は市兵衛さまおかみはお夏さま。手前どももそのつもりで立ち働いておりました。しかし、いざという時の岡田屋の舵取り役、扇の要《かなめ》は、やはり大旦那さまとお多津さま。長年取引のあるお得意先とのやりとりや、懇意のお旗本への内緒のお金の貸し付けや、寄り合いでの付き合い、お上への相応の付け届け――それらすべてのことは、治郎兵衛さまお多津さまのおつむで仕切られていたということも、一方ではあったのでございます。

市兵衛さまは、治郎兵衛さまお多津さまにとっては大切な一人息子でございました。ご夫婦仲は人もうらやむほどに密でございましたのに、お子はただ一人、市兵衛さましか恵まれなかったのでございます。幼いころにはそれこそ風にも当てないようにして育てられ、手前など、奉公にあがったばかりのころなどは、同じ子供ながら、これほど大事に育てられる子がいるものなのかと、少しばかりぼうっとするほど驚いたものでございました。はい、ちょうど手前が奉公にあがった年に、市兵衛さまがお生まれになったものですから、それはよく存じ上げております。

ただしかし……ずいぶん後になりますが、手前が番頭を務め、当時はまだ存命でした大番頭から親しく教えを受けるようになったころ、治郎兵衛さまは市兵衛さまの育て方を間違ったと悔やんでおられると、その大番頭の口から聞かされたことがございます。大事な一人息子とはいえ、もう少し厳しく、人の上に立つ者としての覚悟や心の持ちようを躾《しつ》けておくべきだった、代替わりを急げば岡田屋は危なくなると、そこまでお心を悩ませているというお話でございました。

いったいに人というものは、甘やかされて育てられれば道を誤りがちなものでございます。治郎兵衛さまという大人《たいじん》の血を引く市兵衛さまとて、それは同じこと。確かに、手前の目から見ましても、市兵衛さまのお若いころの放蕩三昧《ほうとうざんまい》の暮らしぶりや、身近にお仕えする奉公人に対する酷《むご》い仕打ち、気まぐれでわがままなものの言いよう——どれをとりましても、さてこの方がお店のいちばん高いところに座ったあかつきには、どういう椿事《ちんじ》が出来《しゅつたい》するだろうかと、先が思いやられるようなところがございました。

ですから岡田屋は、他所《よそ》さまのお店に比べれば、ずいぶんと代替わりが遅かったのでございます。治郎兵衛さまは手前などにも、俺も早く大旦那になって、悠々と隠居暮らしを楽しみたいと、それはもう口癖のように笑っておっしゃっていましたけれども、実際には七十近くになってから、ようよう大旦那の位置まで退いたわけでございまして、それだって、何年も何年も、市兵衛さまから矢の催促を受け、また市兵衛さまが四十路《よそじ》にかかり、いつまでもそのままでは世間様にも外聞が悪いようになって、渋々のことでございました。そのことを、市兵衛さまの方は、ずいぶんと恨みに思っておられたようでございました。磯部さま、なにしろ手前は、とうとう妻にも子にも縁を持たずにここまで生きてしまった徳のない者でございます。生みの親の元も、早くに離れてしまいました。親と子の繋がりなど、然《しか》とはわからないことの方が多々ございます。ですから教えていただきたいのでございますが、実の子が、実の親を、それほどまでに執念深く恨んだり憎んだり、おのれ今に見ておれと怨念《おんねん》を燃やすというような事どもが、本当にあるものなのでございましょうか。

ある——と思《おぼ》し召しでございますか。

左様で……。しかし手前には、いまだに信じられないのでございますよ。

＊

あの家をお訪ねになりましたならば、磯部さまはもうご存じでございますね？　はい、北側の奥の、地面の下へ穴をうがってこしらえてある座敷——頑丈な造りでございましたでしょう？　あの座敷牢《ろう》は、大旦那の治郎兵衛さまが亡くなられた三年ほど後のこと、お多津さまを押し込めるために、お夏さまが造らせたものでございます。

お夏さまは、市兵衛さまが岡田屋の主人となられる時に、大急ぎでお迎えしたおかみでございます。お歳は市兵衛さまより暦のひと回り分もお若く、ご実家は内証の豊かな呉服問屋の五十鈴《いすず》屋でございましたから、贅沢《ぜいたく》な暮らしをしつけていた方でございました。

市兵衛さまとお夏さまのご縁談がまとまった当時、世間様は不思議がり、いろいろと噂をしたものでございました。岡田屋がとうとう、あのろくでなしの放蕩息子に主人の座を譲ろうとしている、それはそれでまあ仕方ないにしても、どうしてまたその市兵衛の妻に、お夏のような女を添えるのだろうかと。もっと賢く慎み深い、気だての優しい女を都合できなかったものなのだろうかと。

あのころ、岡田屋の内々をよく知っておりました手前どもは、世間様が首をひねっているのを知りながら、日々身の縮むような思いでございました。

当時の岡田屋は、内証がかなり苦しゅうございました。それもこれも、市兵衛さまの放蕩のツケが回ってきたということだったのでございますが、あちこちに借金もございました。表向きには、治郎兵衛さまもお多津さまも毅然《きぜん》とした顔をしておられましたから、詳しく知るのは手前どもお店《たな》の者ばかり。辛《つ》ろうございましたよ。

お夏さまには、まだまだ小娘の時分から、悪い噂がたくさんございました。五十鈴屋の三人娘の末娘で、器量もいちばんだが悪評もいちばん。肩あげも降りないころからの男好きで、役者狂いをして家を飛び出してみたり、奉公人を誘惑してみたり……。生臭いお話なので詳しくは申せませんが、父親《てておや》の知れない子供を身ごもり、密《ひそ》かにおろしたことも一度や二度ではないという噂まであったほどでございました。

あのころ、五十鈴屋さんが跳ねっ返りのお夏さまを持て余していることは、傍目《はため》から見ても明らかでございました。上の娘さんお二人はきちんとした人柄で、跡取りにも立派な婿を迎えておりましたから、次から次に何をしでかすか知れたものではないお夏さまを、早くご実家から出してしまいたかったのでしょう。それでなくても、悪い遊びが過ぎて噂になり、嫁のもらい手がつかぬまま、お夏さまは二十五歳を越えておりました。いくら器量よしとて、このまま大年増《おおどしま》になってしまっては、年々縁遠くなるばかりです。そこで、岡田屋の借財を五十鈴屋が肩代わりしてきれいにする代わりに、お夏をもらってくれ――というような取引がまとまったという次第でございました。

治郎兵衛さまとお多津さまには、ずいぶんと無念の縁組みだったとお察しします。しかし、背に腹はかえられません。

それでもお多津さまは、嫁としてお夏さまをお迎えになると、力を尽くしてお夏さまを鍛えようとなさいました。ただ厳しくするだけでは駄目だからと、実家からも見放されたお夏さまに、姑《しゅうとめ》というよりはむしろ母親のような優しさで接することもなさいました。手前はその一部始終を見て存じておりますが、磯部さま、人間の真心も、相手によっては通じないことがあるという理《ことわり》を学ばせていただいたと思っておりますよ。

はい、お夏さまはお多津さまがお嫌いでした。まずは、ご自分にとっては姑であるというだけで。しかもその姑が、歳はとってもあでやかな女であるというだけで。ご自分よりもお多津さまの方がはるかに奉公人たちに慕われているというだけで。嫌うという言葉よりも、いっそ〝憎んでいた〟と言った方がふさわしゅうございます。あるいは、〝妬《ねた》んでいた〞と申しましょうか。

それですから、治郎兵衛さまが亡くなって以来は、お多津さまが大おかみとして立派に采配《さいはい》をふるわれつつも、水面下にはいつでも悶着《もんちゃく》のたねがひそんでおりました。ただ、お多津さまはめったなことで隙を見せるような愚かな方ではございませんでしたので、それはそれなりに危うい釣り合いを保って、岡田屋という船は進んでいたのでございます。

それが——あんな事が起こりまして——

あれは今日と同じような空模様、春先だというのに、寒が戻ったような冷たい雨が降る日のことでございました。ほかでもない、治郎兵衛さまの祥月命日《しょうつきめいにち》でございましたよ。お多津さまが、店の奥に積み上げてありました荷の下敷きになり、足の骨を折ってしまわれたのでございます。

ご存じかもしれませんけれども、蠟《ろう》というものは、手前どものような卸の問屋が品物として扱う段階では、塊の形をしております。一貫分ずつ計って型に流し込み、四角く固めてあるのでございます。ですから、それを荷にして積んであるものは、けっこうな重さがあるのでございますよ。小さな子供でしたらば、下敷きになったりしたら、潰《つぶ》されて息が止まってしまうことでしょう。

それにしても不思議な事件でした。蠟という品物は、なにしろ格好がそれですから、一旦《いったん》荷にして積んでしまえば、めったに荷崩れするようなものではございませんのですよ。それが、たまたまお多津さまがお近くにいるときに、ちょうど頭の高さほどに積んだものがガタガタと崩れてくるなどとは。

はあ……。はい、お察しの通りでございます。手前もお店のほかの者どもも、誰かがわざとお多津さまを狙って荷を崩したのだと考えておりました。でも、考えるだけならば子供でもできます。確かな裏付けは、どこにもございません。声高に言うことははばかられます。

ともあれ、その怪我以来、お多津さまはすっかり身体が弱られ、半ばは寝たきりのようになってしまわれました。形勢は、すっかり逆転したのでございます。そしてお夏さまは、嬉々《きき》としてあの座敷牢をこしらえたのでございました。

なぜ座敷牢なのかとお訊《たず》ねですか？　さて、それは今もって手前にもわかりかねます。ただ、あのころお夏さまがおっしゃるには、お義母《かあ》さまはお怪我以来少しくおつむりが弱くなられて、昼間もありもしないものを見るし、夜も寝ぼけてふらふらとお出歩きになる、危なくて仕方がないので、お義母さまの身の安心のために、鍵《かぎ》のかかる座敷牢にお入れするのだという言い分でございました。

手前が？　はい、もちろん反対をいたしました。大反対をいたしましたよ。お多津さまは、確かにお身体は弱っておられましたけれども、おつむりの方は、お夏さまよりもよっぽど確かでございましたからね。お店のほかの奉公人たちとて同じでございます。

でも磯部さま、使われる者の立場は弱いものでございます。それにまた、皆がそれぞれに、己の仕事とわずかな給金にしがみつくのも当たり前のことでございます。働かずば食えず、食えずば生きていかれません。お夏さまや市兵衛さまに、確かに大おかみが夜中にふらふらと廊下を歩いているのを見たと言え、さもなくばただではおかないと脅かされましたならば、年若い女中など、いっぺんで震えあがってしまいます。一人、二人と口をつぐみ首を縮め、目に涙を浮かべて、市兵衛さまとお夏さまの言い分に従うしかございませんでした。どうしても我慢ができずに、お店を出奔した者も二人おりました。手前も、それだけの覇気がございましたならば、そうしていたかもしれません。

いや、そうしておいた方がよかったのかもしれません。今さら……本当に今さら、何を言っても仕方がないとは思いますけれども。

それに、手前を含め、最後まで反対をした者どもを説き伏せたのは、お多津さまご自身でした。おまえたちが苦しんでいるのを見ていられない、自分が座敷牢に入っておとなしくしていれば済むことならば、それぐらい何の苦労でもないとお笑いになって……。ただ松五郎、大番頭として、お店のことはしっかりと頼みますよと、手前に頭をお下げになりました。

今……思い出しましても、もったいなくて涙が出ます。

手前が最後に大おかみのお多津さまの笑顔を拝見しましたのは、そのときが――お多津さまのお布団とお手まわりの品を座敷牢に移した、その日が最後でございました。以来、二年間というもの、手前はお多津さまのお顔も見なければ、お声を聞くこともありませんでした。お夏さまが、お夏さまだけしかお多津さまの座敷牢に入ることができないように取りはからってしまったからでございます。磯部さまも御覧になったならおわかりでございましょう？　あの座敷牢は、それ自体も堅牢《けんろう》な造りでございますが、そこへ行くまでの廊下にも、二カ所も錠のかかるところがございます。あれは、お夏さまが後から大工を呼んで造らせた仕掛けでございます。たったひとつしかない鍵には紐《ひも》をつけてあり、お夏さまがいつも、首からかけて、肌身離さず持っておいででございました。その大工は、お夏さまがわざわざ川崎の方から呼んだ者で、どこのなんという棟梁《とうりょう》なのか、誰も存じませんでした。

もちろん手前ども奉公人とて、お多津さまの身の上が案じられます。お加減はいかがかと、お目にかかることはできないかと、お夏さまに何度も何度もお願いいたしました。でも、ことごとくはねつけられ、大おかみは誰にも会いたくないと言っている、静かに臥《ふ》せっていたいと言っている、余計なことはするなと叱られるばかりでございました。手前どもとしましては、お夏さまのお言葉を信じ、お多津さまはお元気でおられると、思うほかに術《すべ》がなかったのでございます。

これらのことを、もちろん、市兵衛さまはすべて黙認しておいででございました。文句のひとつも、諫《いさ》める言葉のひとつも、お夏さまに投げかけたことはございませんでした。むしろ——言うのもおぞましいことでございますが、そのようにしてお夏さまが、お多津さまの生殺与奪を握っていることを、面白がっているふうにも見受けられました。

三月前、あのような惨事が出来《しゅったい》し、後始末の際に、ようやく座敷牢に入った町役人《ちょうやくにん》が、すぐに真っ青な顔をして出てきて、一言も口をきかず、高い熱を出して三日も寝込んでしまったという話を、磯部さまはご存じでございますか？

お多津さまは、寝床の上に座ったままの格好で、骨になっておられたそうでございます。検視のお役人のお話では、亡くなってからゆうに一年は経っているということでございました。おそらくは飢えと渇きで息絶えたのだろうというお話で——お多津さまの両手には手鎖がかけられており、座敷牢《ろう》のなかは、まるでけだものの巣のような荒れ具合汚れ具合で、あまりの臭いのひどさに息もできないほどだったそうでございますよ。あれほど几帳《きちょう》面《めん》できれい好きだったお多津さまが、どんなにか無念であったろうと察しますと、手前は今でも目の前が暗くなります。

磯部さま……もう一度おうかがいいたします。いくらわがままいっぱいに育てられたとは言え、若い妻の言いなりに、自分の生みの母親を、そんなふうに酷《むご》く扱ってはばからない人間が、いったいこの世にいるものでございましょうか。

磯部さまは、お千代さまが行儀見習いに参られることになったいきさつについては、ご存じでいらっしゃいますか。お千代さまは何かおっしゃって——左様でございますか。はい、お千代さまは本当にお気持ちのお優しいお嬢さまでございましたね。

市兵衛さまとお夏さまの夫婦仲は、それなりに睦《むつ》まじい——まあ、睦まじく見えないことはないというくらいのものでございました。とはいっても、それはお二人に何か通じ合うものがあるというわけではなく、大旦那《おおだんな》さまとお多津さまに刃向かうには、二人がかりの方が何かと便利だったからではないかと、手前などは考えております。

市兵衛さまの女出入りの激しいこと、漁色のすさまじいことは、問屋仲間のあいだでもよく知られたことでございました。とりわけ大旦那さまが亡くなってからは、心ある口入《くちいれ》屋なら六間堀の岡田屋に若い女中を世話してはいけないと言われるほどに、それはそれは浅ましい有様でございました。

その一方で、お夏さまの男遊びも、娘時代から途切れることなく、それどころかよりいっそうお金をかけて、派手に続けられておりました。結局のところ、岡田屋の身代は、市兵衛さまとお夏さまに、内側から食い破られたようなものでございます。

今度のことで世間様にも知られてしまいましたが、ご長男の久一郎さまは、お夏さまの腹の生まれではございません。ご次男の清治郎さまは、市兵衛さまの胤《たね》ではございません。末の春治郎さまはご夫婦のお子さまでございますが、生まれついての病弱で、亡くなったときは哀れまだ十五でございましたが、あんな事が起こらなくても、さてあと一年生きられたかどうか……。この二、三年は、ほとんど家から外に出ず、座敷にこもって一日中鼻歌をうたっておられたり、半紙にわけのわからない絵を描いたりしておられました。

磯部さまがご存じのお千代さまは、実は捨て子でございました。今から十九年前のこと、六間堀の橋のたもとに赤子が捨てられているのを通りかかった人が見つけ、そのままでしたら差配人預かりになって育てられるところを、憐《あわ》れんだお多津さまが治郎兵衛さまにお願いして、養女にもらいうけた娘でございます。それですから——いささかあけすけな言い方をしますれば、市兵衛さまとお夏さまの毒気にあてられていないというか、真っ直ぐなご気性のお嬢様でございました。

今だからこそ申し上げられることでございますが、七年前と言えばお千代さまはまだ十二歳。そんな頑是無い子供を、〝行儀見習い〟という名目で磯部さまのお宅にお預け申し上げることになったのには、暗い事情がございました。それと申しますのは——こんなことを言えば手前の口も汚れるような気がいたしますが——市兵衛さまが、漁色の挙げ句に、お千代さまに目をつけられて……はい。恐ろしいことでございますが、本当のことでございます。

これは捨ててはおかれません。そこで手前と、古参の女中と——これがお千代さまの身の回りのお世話をしておりまして、危険を察知したわけでございますが——二人で計って、当時はまだお元気だった大旦那さまとお多津さまにご相談したのでございます。

本来ならば、奉公人の身の上で主人に対する讒言《ざんげん》など、許されることではございません。しかも、事が事でございます。手前もこの首のなくなることぐらいは覚悟しておりましたが、しかし大旦那さまもお多津さまも、心の内はいかばかり憤懣《ふんまん》やるかたなく、情けなく、お辛《つら》いことでありましたでしょうに、すぐに手前と古参の女中の言い分をお聞き入れくださり、手を打ってくださいました。それで磯部さま、大旦那さまが、かねてからお付き合いのございました貴男様《あなた》のお父上とご相談の上で、八丁堀北の磯部家にてお千代さまを一時預かっていただくというお話をまとめてくだすったのでございます。

　手前としましては、ああこれでお千代さまを逃がすことができたという心持ちでございました。願わくば、あのままお千代さまを磯部のお家に置いていただいて、そこからどこぞにお嫁に出していただくなり、あるいは――こんなことは今さら申し上げられませんが――は？　左様でございますか、そうですか、磯部さまのお家でも、お千代さまを貴男さまと娶《めあわ》せようというお話があったのでございますか。ああ……もしもそのとおりになっていたならば、どんなにか良かったろうに。

　でも、手前などの浅はかな満足は、長くは続きませんでした。ご存じのとおり、大旦那さまが亡くなるとすぐに、お千代さまは岡田屋に呼び戻されてしまいました。それでもお多津さまが目を光らせているうちは何とか無事に過ぎていたのでございますが、やがてお多津さまは座敷牢に押し込められ、一方でお千代さまはますます娘らしく可憐《かれん》に育ってゆく――

　結局のところ、三月《みつき》前のあの夜の惨劇は、お千代さまが岡田屋に呼び戻されたときから、すでに始まっていたのかもしれません。

＊

　今年の――正月があけたばかりの雪の日のことでした。お千代さまが、猫いらずを飲んで死のうとなすったんでございます。薬を飲んで、お千代さまが苦しんでいるところを、たまたま春治郎さまが見つけまして、危ないところで命を取り留めました。

お千代さまが自殺などしようとした、理由《わけ》は聞くまでもございませんでした。手前どもは、とうとうお千代さまを守りきることができなかったわけでございます。それはしばらく前からのことのようで、しかもおぞましいことに、今度は、市兵衛さまお一人が相手ではないようでございました。

……嫌な話でございます。磯部さま、もうお聞きになりたくはないでしょう。続けてもよろしいのでございますか？

左様でございますか。それならば、手前も心を石にして語りましょう。

お千代さまはあのように美しい娘さんでございましたし、久一郎、清治郎の二人は、二人ながらに歪《ゆが》んだ親に似た気性の持ち主で、それがひとつ屋根の下に留め置かれていたわけでございますから、お千代さまにとってこれ以上の災難はございませんでした。

どうやら、それらの事どもが起こっていることを、お夏さまもご存じのようでございました。放っておけば野垂れ死にしていたところを、親切に拾ってやったのだから、あんな娘、いかようにも息子たちの好きなようにすればいいと、笑いながらおっしゃるのを聞いた者がおります。

危ないところで息を吹き返したお千代さまは、泣きながら手前にすべてをうち明けられました。手前は何もできませなんだ。ただ一緒に泣くばかりでございました。

そのとき――

ふと、手前はお多津さまのお声を聞きました。松五郎、案じるな。お千代の仇《あだ》はわたくしが討ちましょう。同じおなごの身、お千代の苦しみをこれ以上放ってはおかれません、わたくしにお任せなさい、と。

先ほども申し上げましたとおり、お多津さまはずっと座敷牢に押し込められているはずでした。そのころはまだ、手前はお多津さまがとうに亡くなっていることなど、生きながらに骨と化していたことなど、まったく存じませんでした。ですからそのときは、お多津さまがすっかりお元気になり、密《ひそ》かに座敷牢を抜け出されたのかと思いました。お多津さまはいつの間にか誰かに救われていたのだ。お多津さまの手で、岡田屋はようやく元のようなまともなお店《たな》に戻るのだ――そう思いました。それはもう嬉《うれ》しくて、飛び上がりたくなるような心持ちでございましたよ。ですから、声を大にして家中に触れ回りました。手前はお多津さまのお声を聞いた、もうすぐお多津さまがお元気になって戻ってこられて、すべては良い方に動き出す、と。市兵衛さまもお夏さまも、奉公人たちでさえ、そんな手前を気が触れた者を見るような目で見ていましたけれども、手前はくじけませんでした。お多津さまの言葉を信じていたからでございます。

そして、手前のそんな思いを裏付けるように、その日以来、岡田屋のなかに、昼となく夜となく、頻々とお多津さまが姿を現すようになったのでございました。

手前ですか――いいえ、手前は徳が足りないのでございましょう、お店のなかで騒ぎが広がってゆくあいだにも、お多津さまのお姿を直《じか》に目にしたことはございません。今お話ししたように、たった一度、お千代さまのうち明け話を聞いたときに、お多津さまのお声を聞いただけでございます。

　市兵衛さまとお夏さまは、最初のときから、ずいぶんと脅かされたようでございました。お二人の見るお多津さまは、たいそう怖いお顔をなすっていたようでございます。まあ、当然でございましょう。久一郎さまと清治郎さまは、お多津さまが夢枕に立ち、彼らの首をぐいぐいと絞めると訴えては、夜は眠らずに火を灯《とも》し、昼も光のなかでびくびくと暮らすようになりました。

　不思議だったのは、春治郎さまが、しきりとお多津さまのお顔の絵を描くようになったことでございます。それはたいてい笑顔のお多津さまでございましたが、

――お祖母《ばあ》さまが参られて、雪のように冷たい白い顔で、じいっとわたしを見つめるんだよ。これはそのお顔を描いた絵だよ。

　そんなことをおっしゃるのでした。

　そうそう、お夏さまが髪を結おうとすると、鏡のなかにお多津さまがいて、お夏さまの髪をつかもうと手を伸ばしてきた――などということもありました。お夏さまは家中がひっくり返るような大きなお声で叫ばれて、驚いた女中が引きつけを起こすなどという椿事《ちんじ》もございました。

　そしてお千代さまは――次第次第に正気をなくし、お千代さま以外の人の目には見えな

いお多津さまと、一日中親しくお話をするようになりました。

三月前の夜の事件の、最初のきっかけが何であったか、今となっては然《しか》とはわかりません。それでも、市兵衛さまもお夏さまも、久一郎さまも清治郎さまも、皆したたかに酔っておられたことは確かでございます。

台所の水瓶《みずがめ》の水に、猫いらずを混ぜたのはいったい誰か――それも手前にはわかりかねます。しかし、おおかたは春治郎さまのなすったことではないかと察しております。あのお方のすっかり壊れたお心のなかに、懐かしいお祖母さまが現れて、この家を浄《きよ》めるためにはそうしなければならないと、命じられたのかもしれません。少なくとも、御本人は息の絶える直前に、助けに駆けつけた者にそのようなことを漏らしたそうでございますよ。

もともと、春治郎さまはふた親にも二人の兄にも虐《いじ》められ、身の置き所のないお方でございました。お千代さまが猫いらずを飲んで死にかけたことをきっかけに、弱いおつむりを働かせて、憎い家族を道連れに、死ぬおつもりだったのかもしれません。お多津さまに命じられたなどというのは、春治郎さまなりの後付けの言い訳かもしれないと存じます。

それにしても、お店の奉公人たちが、ご家族の皆々様とは別の水瓶から水を飲んでいたのは、つくづくと幸いなことでございました。

奥向きで、毒を飲んだことを知ったご一家が、互いに互いをなじりあい、自分だけは助かろう、いやそうはさせぬと足を引っ張り合い、殴り合い蹴《け》り合い最後には血みどろになって、結局は誰も助からなかった――そういう事の成り行きを、思い出すのも悲しいことでございます。ただひとりお千代さまだけは、ご自分の寝間で、安らかなお顔で亡くなっていたということが、手前には心の救いでございました。

お夏さまは息が絶える前に、盛んにお多津さまの名を呼んで罵《ののし》っていたそうでございます。あっちへ行け、近づくなと、両腕を振り回し足を蹴り上げ、つかみあいの喧嘩《けんか》でもしているような有様だったそうでございますよ。古参の女中がそのモノ狂いのような様子を目にして、髪が真っ白になってしまいました。それでもお夏さまの罵りようがあんまりすさまじいので、その女中はほんのひとときだけ、お多津さまが座敷牢《ろう》からお出ましになって、すぐそこの唐紙の陰に立ち、お夏さまの死に様を見守っているのではないかと思ったそうです。しかし、よくよく見回せば、お多津さまはおられませんでした。いるはずもないのです。女中も手前も存じませんでしたが、お多津さまは、少なくとも一年前に、座敷牢のなかで、飢えて渇いて一人きりで、無惨にも亡くなっていたのですから。

手前どもはそれを知らなかった。しかし、お夏さまは知っていた。市兵衛さまも知っていたかもしれない。久一郎さまや清治郎さまも、それとなく察していたかもしれない。だからあの方たちには、お多津さまの亡霊が見えた。怨霊《おんりょう》が見えた。そういうことだったのではございませんでしょうか。

*

おや……小糠雨《こぬかあめ》がやんだようでございますね。もう、お帰りになられますか。このような悲しいお話、あらためてお耳にされたところで、何がどうなるわけでもございますまいが、お気は済まれましたでしょうか。

――は？　大工？　大工がどうかいたしましたか？　川崎の？　お夏さまが雇い入れて座敷牢を造らせ、廊下の錠前を造らせた大工でございますか？

磯部さまは、その大工にお会いになった。

何と――申しておりましたか。その大工は。ひょっとして――

手前に――大番頭の松五郎に会ったことがあると申しましたか。一度だけ、お多津さまが座敷牢に押し込められて間もなく、松五郎が大工を訪ねて、畳に頭をすりつけて、合い鍵《かぎ》がほしいと願ったと。

ほう……そしてその大工は、松五郎の願いを聞き入れてやったと申しましたか。

松五郎は、そんな合い鍵など手に入れて、いったいどうするつもりだったのでございましょうね。磯部さま、どうお思いになりますか。

それにしても、おかしな男でございますね、松五郎も。合い鍵を手に入れたならば、さっさとお多津さまをお助けすればよかったのに。それが賢い者のすることでございますよ。

松五郎がようやく合い鍵を手に入れ、座敷牢に忍び込んだときには、お多津さまはお夏からさんざんにいたぶられていて、もう弱り切っていて……死にかけていたのでは……。

はあ、磯部さまはそんなふうにお考えになりますか。

松五郎はお多津さまを逃がすことができない。

お多津さまは、放っておけば、遅かれ早かれ虐め殺されてしまう。

そこで松五郎は考えた――お多津さまをお助けするには、方法はひとつしかないと。

この手で、今ここで、すんなりとお多津さまを楽にして差し上げることだ、と。

磯部さまはそんなふうにお考えになっているのでございますね。

それは――こう考えることもできるのではございませんか。座敷牢に忍び込んだ松五郎は、惨めにも死にかけたお多津さまに、早く楽にして欲しいと頼まれた、と。

そして、頼まれたとおりのことをした。

松五郎は、お多津さまの骨が座敷牢にあることを知っていた。お多津さまは喜んで死んでいかれた。

だから――松五郎のところにだけは、お多津さまの亡霊はやってこなかった。

それでも松五郎は、罪に問われるのでございましょうかね、磯部さま。

考えてみれば、亡霊は猫いらずなど使いませんねえ。水瓶に毒を入れるのは、人間の仕業です。

本当にお帰りでございますか。手前はここでお見送りをさせていただきます。ご無礼をいたしまして申し訳ございません。少しばかり身体が弱っております。手前ももう、そう永くはないということでございましょう。

毎夜眠りますとね、磯部さま。手前は夢をみます。お多津さまと一緒に、あの座敷牢に閉じこめられている夢を。そこでは、お多津さまも手前も影のようにひっそりとして薄っぺらで、ですからあの頑丈な牢の格子をすり抜けて、どこへでも出てゆかれるんでございます。

それが亡霊の正体でございますよ。

お足元にお気をつけてお帰りくださいまし。後生でございますから、もうお戻りのございませんように。振り返られることもございませんように。

松五郎の、これが末期のお願いでございます。

布団部屋

る。

深川永代寺《えいたいじ》門前東町にある酒屋の兼子屋《かねこ》は、代々の主人《あるじ》が短命であることで知られてい

初代がこの場所に店を興したのは宝永《ほうえい》六年（一七〇九年）のことだが、それから百と五年経つあいだに、主人は七代目まで数えるに至った。普通ならばせいぜい四、五代の代替わりで済んでいるところである。

とはいえ、過去六代の主人の死に様《よう》に、とりたてて不吉なところがあるわけではない。一人だけ例外はあるが、他の五人は、死に様としては安らかで、歳さえ足りていれば周囲も大往生と認めるような、穏やかな逝き方ばかりである。なにしろ、夜寝床に入ったまま目を覚まさず、朝になり、家人が起こしに行ってはじめて、亡くなっていると判るというのであるから。

理屈を言えば、兼子屋の男たちは、運悪く先祖代々心の臓が丈夫でないのかもしれない。実際、店の跡継ぎとならない次男三男は、まだまだ子供のうちに亡くなってしまうのだ。長男だけがなんとか育つ。そしてようよう十六、七歳になると父親が早死にし、あわてて

長男が跡目をとり、早くに嫁をもらい、子をなし、その子がなんとか十六、七にまで育つと、今度は自分がころりとゆく――その繰り返しであった。

一方、娘は何人でも丈夫に育つ。嫁も代々頑丈なのが嫁いできて、子宝にも恵まれるしお産も軽い。

口さがない世間の人びとは、兼子屋では女どもが強すぎるので、男衆は気を呑《の》まれて早死にするのだと言い立てる。なるほどこれは判りやすい話だ。実のところ、跡継ぎの座におさまったばかりの歳若い主人に、婆《ばば》さまどころか大婆《おおばば》さままでが元気でいて、てんでにしっかり目を光らせているというくらいだから、あながち、ホラ話とばかりに笑い飛ばしてはいけないかもしれない。しかし、兼子屋にいるのは男を食い殺すという丙午《ひのえうま》の女ばかりだ、あの家には丙午の嫁しか入らず、丙午の娘しか生まれぬという噂は出鱈目《でたらめ》で、実は丙午生まれの女はひとりもおらぬ。

噂と言えば、別口もある。六代の主人のうち一人だけ死に様に例外があると言った。それは四代目の主人喜右衛門《きえもん》で、彼は三十三の歳の正月明けに麻疹《はしか》で死んだ。大人になってかかる麻疹は恐ろしい病気で、命取りになることも珍しくはない。

ところが当時、喜右衛門の死は神罰だという噂が飛んだのである。どの神様の罰かといえば、五代将軍綱吉《つなよし》公のそれだという。綱吉公は、宝永六年の正月明けに麻疹で死んでいる。宝永六年と言えば兼子屋が興った年でもある。つまり、自分の死んだ年に酒屋など始めた兼子屋に対し、御霊《みたま》が神様となられた綱吉公がお怒りになって、罰を当てたというのである。

なにしろこじつけも甚だしい作り話なので、さすがにいくらも広がりはしなかった。五代将軍綱吉公は、お天下様の威光を振り回してさんざん庶民を苦しめた、こっちが罰を当ててやりたいような将軍であった。それに、もしも本当に綱吉公の御霊が小うるさい神様になって、不届きな兼子屋に罰を当てたのだとしても、なにも四代目まで待つことはあるまい。初代、二代、三代は子供の頃に無事に麻疹を済ませてしまったものだから、四代目まで待つ必要があったのだという講釈を垂れる者もいたが、屁理屈《へりくつ》もそこまでいくと滑稽《こっけい》で、聞かされる者はみな腹を抱えて笑った。

それはともかく、早死にの評判が定着し、主人が死ぬたびに面白くもない噂がたつというのは、商家としては辛《つら》いことである。死にまつわる話は、商い物が酒であるだけに抹香臭くていけない。だから代々の兼子屋は、他の店よりも腰を低く、余所《よそ》では受けない無理な注文も受け、商人としてめいっぱいの働きと誠意を示すことで得意客の信用をつなぎとめてきた。

そうなると、勢い、奉公人に対しては厳しくなる。だから兼子屋には、主人が短命だという評判ほどには目立たないが、もうひとつ、奉公人への躾《しつけ》がきついという評判もあるのだった。きついがその分、給金をはずんでくれるということはない。ただ単にきついのである。

それでも兼子屋では、奉公人が逃げ出したり、不祥事を起こしたりということは、七代目までの歴史のなかで、かつて一度もあったためしがない。また、兼子屋の奉公人たちは実によく働き、不満も言わずもめ事も起こさない。これは門前町あたりの商人たちの不思議のたねであった。

奉公人の躾というのは、店の主人にとってはもっとも頭の痛いことであり、どうやっても完璧《かんぺき》にはできないというのが常識だ。十人の奉公人を雇い入れ、十年養ってやって、お店《たな》の役に立つ人材に育ちあがるのが一人か二人いれば上々だ——というぐらいの難しさがある。辞めてゆく者、奉公の辛さに出奔する者も多い。病気や怪我で働けなくなることも少なくはない。

ひどいときには、金をくすねて持ち逃げしたり、ならず者に成り下がり、恩のあるお店を襲《と》って財産を盗ろうという輩《やから》だって現れる。御定法《ごじょうほう》で、奉公人が主人を傷つけたり、主人の家に火をかけようとした場合には、どんな理由や言い分があろうとも打首獄門ということに決まっているのは、裏返してみれば、そういう例が馬鹿にならない数だけあったからである。

奉公人は大人ばかりでなく、丁稚《でっち》や子守女はまだ子供のころからお店に仕える。お店は彼らに、親代わりとなって躾をほどこさなくてはならず、これもまた難しい。仕事をさぼって遊んだり、隠れて盗み食いをしたり、居眠りをしたりする子供たちを叱ったり、説教をしたり、時には強い体罰を食らわしてでも一人前の奉公人に仕立て上げてゆくには、大変な時間と労力が要るのである。それでも、うまくいくことの方が少ない。

その難事を、兼子屋は代々、いともやすやすとこなしてきた。兼子屋に奉公にあがると、それまで手に負えない暴れ者であった若者も、泣き虫でいくじなしの幼子《おさなご》も、ほんの十日ばかりで別人のようにしっかりしたお店者になってしまうのだ。病気や怪我にもめっぽう強くなる。

これでは、近隣の商人たちが不思議がり、羨《うらや》ましがるのも無理はなかった。どんなこつがあるのかと尋ねても、兼子屋の主人もお内儀《かみ》も大番頭も、さあと首をかしげてほほえむばかりで、ますます謎が深くなってしまう。さて、どんな秘訣《ひけつ》があるものか——

ところが、そんな兼子屋で、若い女中がひとり、突然おびただしい鼻血を出して頓死《とんし》するという事件が起こった。文化《ぶんか》十一年（一八一四年）十月の中ごろ、兼子屋の主人は七代目七兵衛《しちべえ》、三十五歳の時の出来事である。

頓死した女中は、名をおさとという。

猿江御材木蔵東の大島村の小作人の長女で、十一の歳に兼子屋に子守奉公にあがり、死んだときには内働きの女中で、歳は十六になっていた。つごう五年間、兼子屋で躾けられたということになる。気だての優しい働き者で、身体はやせぎすだったが、歳の割には落ち着いた顔つきをしており、立ち居振る舞いも大人びていて、ちょっと見には二十歳すぎの一人前の女のような印象を与える娘であった。

兼子屋は大店ではない。せいぜいが中の下ぐらいの構えの店だ。得意先のなかには料理屋や武家屋敷もあるが、もちろん店売も盛んに行なう。深川じゅうのどの店よりも遅くまで表戸を閉じないことを身上としているので、奉公人は、湯屋の終《しま》い湯に間に合わないこともしばしばあった。馴染《なじ》みの湯屋の方でも心得たもので、兼子屋の奉公人たちが大急ぎで駆け込んでくるまでは、表を閉めずにいてくれるのだった。

問題の夜、おさともそのようにして終い湯にあわてて駆け込んだ。急いで湯を使い、番台の親父に挨拶《あいさつ》をして外へ出るまでは、いつもと変わった様子もなく、きびきびとしていたという。ところが、湯屋を離れていくらもしないうちに、突然どっと鼻血を出し、手で顔を押さえたまま、まるで棒を倒すように道ばたに倒れてしまったのである。

そのとき彼女はひとりきりで、近くにいた木戸番に助けられ、彼に背負われて兼子屋に帰ったが、着いたときにはもう息がなかった。

ところが木戸番の話では、兼子屋まで運ばれてゆく道々、背中のおさとはちっとも苦しげではなく、小声でずっと、歌うような調子をつけて、こう囁《ささや》いていたという。

――鬼さんこちら、手の鳴るほうへ。

――鬼さんこちら、手の鳴るほうへ。

その声が耳について、木戸番の男はその後三日ほど寝ついてしまった。

兼子屋でもけっして何もしなかったわけではなく、岡っ引きも動けば町役人も乗り出したが、それでも結局、おさとがなぜ死んだのか、原因はとうとう判らなかった。夕食は皆と同じものを食べていたから、食中《しょくあ》たりでもなさそうだし、毒を盛られたということもありそうにない。身体に傷はなく、冷たくなった肌に妙な斑点《はんてん》が浮くようなこともなかった。死顔は安らかで、鼻血のあとさえきれいに拭《ぬぐ》ってやれば、眠っているかのような表情さえ浮かべているのだった。

兼子屋の奉公人たちは彼女の急死に仰天するだけで、病とか怪我とか、思い当たる筋はまったくないと、首を振ることしかできなかった。内働きの奉公人たちを束ねているのは女中頭のお光《みつ》という女で、これは歳も四十三になり、身体も頑丈なら気性も強く、ちょっとやそっとのことでは動じるようなたまではなかったが、そのお光でさえ、主人夫婦の問いかけに、おさとの様子がおかしかったようなことはないと、ただただ恐縮するばかりだった。

おさとは湯に行く直前まで元気だった、遅い夕飯もいつものようにきちんと食べた、身体の具合が悪いようには見えなかった――お光はそう繰り返し、わたしの目がとどかなかったのですと、主人夫婦に泣いてわびた。お光は女中の鑑《かがみ》のような女で、主人夫婦はことのほか彼女を頼りにしていたし、お光のようなよくできた女中頭がいることを、他のお店から羨《うらや》ましがられていることもあったから、彼女を責めることなど思いもよらず、むしろ彼女を慰める側にまわった。

兼子屋では、結局、わずかな見舞いをつけて、おさとの亡骸《なきがら》を早々に親元へ帰すことにした。町役人への届けは、病死ということできれいにおさまった。門前町あたりの商家では、思いがけない兼子屋奉公人の怪死に、あれこれと風評を飛ばしてさざめいたが、町役人が納得してしまった以上、傍《はた》からどうすることもできない。せいぜい、いっそう強い好奇の瞳《め》で兼子屋の朝夕をながめることしかできず、しかし、日がな一日そんなことばかりしていられるほど裕福なお店は少ないから、自然と囁き声も下火になっていくのだった。

おさとの給金を前借りしていた親元では、奉公先で彼女が急死したからといって、兼子屋に対して強い言葉をぶつけられるはずもなかった。それどころか、おさとが抜けた分を埋めるために、末娘を奉公に出すから、使ってやってはくれないかと持ちかけた。あいだに入る口入屋《くちいれや》も、おさとが働き者であったことは承知していたし、足元が焦げるような親元の貧乏も判っているので、兼子屋の主人夫婦に、それは熱心にとりなした。

こうして、おさとの死から半月後に、彼女の末の妹のおゆうが兼子屋に奉公にあがることになった。やはり十一歳だった。親元では、彼女が死んだ姉と同じ歳になるまでの分の給金を前借りして、彼女には小さな風呂敷包みひとつを抱かせて家から送り出したのである。

兼子屋に入ったおゆうは、それまで姉が使っていたものをそっくりそのままあてがわれることになった。布団も夜着も、箱膳《はこぜん》も茶碗《ちゃわん》も箸《はし》も、前掛けまでもがおさとのお下がりであった。そして、生前のおさとが与えられていた女中部屋の一角で寝起きをした。

この部屋は三人部屋で、あとの二人は、生前のおさとのことをよく知っていたはずだった。歳もおさとの方に近い。だが彼女たちは、おさとの思い出話など一度もしなかった。おゆうがおさとの妹であることを知っているはずなのに、悔やみの一言も言わなかった。

まるで、おさとのことなどきれいに忘れてしまっているみたいだった。

虐《いじ》められることもないが、かまわれることもない。よく見ると、二人の女中同士も、それほど親しくしているわけでもなさそうだ。何か、乾いたような風が吹いていた。

今の兼子屋には子守が要るような年頃の幼子がいないので、おゆうに割り当てられる仕事も、最初から年長の女中たちと同じ内容のものになった。水汲《みずく》み、掃除、布団干し、洗い物、お遣い——おゆうは一生懸命働いたが、それでも、十一歳の少女の手には余ることが、あとからあとから、ぽろぽろとこぼれた。

おゆうは、自分が、亡くなった姉には遠く及ばない役立たずであることを、小さい頭なりにしっかりと承知していた。だから、どうすれば早く仕事を覚えることができるだろうと、自分なりに工夫もした。それだけの知恵を持っていた。そしてその知恵を与えてくれたのは、ほかでもないおさとであった。

貧乏人の子沢山で、おゆうの家には六人の子供たちがいたが、女の子はおさととおゆうだけだった。親たちは暮らしに追われているから、おゆうはほとんどおさとに育てられたようなものだ。それだから、彼女が奉公に行ってしまった時には、後を追ってずいぶん泣いたし、彼女が藪入《やぶい》りで帰ってくると、嬉《うれ》しくて嬉しくて、夜も眠ってしまうのがもったいないくらいの気持ちだった。

そういうときは、ひとつの布団にもぐりこみ、ふたりして夜っぴて話をした。おゆうは、姉さんがいないあいだに家で起こった出来事を語り、おさとは妹に、奉公先であった面白いことや楽しいことを選んでは話してくれた。

そうだった。たいていの場合、おさとの話は楽しいことばかりだった。だが、ときどき、ちょっと真面目な顔をして、こんなことも言った。

——あんたもあたしくらいの歳になったら、きっとどこかへ奉公にあがることになるに決まってる。そのときには、骨身をおしまず一生懸命働くんだよ。結局は、よく働いた方が勝ちなんだからね。

そういう姉の言葉を、おゆうはしっかりと、幼い心に刻んでいたのである。

ときどき、寂しくなって涙が出てくることもある。家が恋しくなることもある。そんなときは夜着を頭からかぶって、じっとうずくまる。そうすると、まだ夜着に残っている生前のおさとの身体のぬくもりが、おゆうを包み込んでくれるような感じがする。実家《さと》でふたり、ひとつ布団で眠ったころのことが思い出され、姉の声さえも聞こえてくるような気がする。姉さんはいつでもあたしのそばにいて、あたしのことを守ってくれているんだと思う。やがて涙も乾くと、お姉ちゃんおやすみと呟《つぶや》いて、おゆうは眠る。

ひと月も経つと、おゆうはひととおりの仕事を覚えた。

ある朝、井戸端で洗い物をしていると、女中頭のお光がのしのしと近づいてきた。おゆうは何か叱られるのかと、首を縮めた。この大女の女中頭は、普段はほとんどおゆうと口をきいてくれない。兼子屋では、女中たちのあいだにもはっきりとした順列ができていて、お光がじかに声をかけ、指示をするのは、彼女のすぐ下の古参の女中ばかりである。その古参の女中がおゆうと同室の若い女中に仕事を割り振る。そして、若い女中たちが末端のおゆうを顎《あご》で使う。

ただ、叱られるときばかりは別だ。二段階飛び越えて、いきなりお光が乗り出してくる。

しかし、この朝は違っていた。手を休めて立ち上がり、おとなしくお小言をくらおうと頭をうなだれたおゆうに、お光は意外なことを言った。お内儀《かみ》さんが、あんたの働きを誉めているというのである。

主人夫婦には、奉公にあがった際、たった一度ご挨拶《あいさつ》をしただけで、日頃はおゆうなど顔を拝むこともない。だがそのお内儀さんがお光に、今度来たおさとの妹はなかなかよく働くねとおっしゃったのだという。

おゆうは嬉しくて、胸の奥が温かくなるような思いがした。自分だけでなく、そばにいて守ってくれている姉のたましいも一緒に誉められたと思った。頭を深くさげて、ありがとうございますと小声で言った。

お光がそばに立ちはだかっていて動かないので、おゆうは顔をあげ、おそるおそる彼女を仰いだ。お光は両目を糸のように細くして、じいっとおゆうを見据えていた。

お光は身体が大きいだけでなく、目鼻立ちも大ぶりである。美しくはないが、はっと人の目を惹《ひ》きつける顔をしている。女中たちを叱るときには、その大きな目玉をぎょろぎょろさせて、口をくわっと開いて怒鳴りつける。

それなのに今は、まるで別人のようだ。お面をかぶっているみたいにも見える。おゆうは急に怖くなって、何か言おうか、それともまたうつむいてしまおうかと、おろおろと考えた。すると、そのうろたえた心を見抜いて割り込むかのように、お光がぴしゃりと言った。

「あんた、あたしが怖いんだろう」

おゆうは舌が喉《のど》の奥に引っ込んだみたいになってしまって、口がきけなかった。

たたみかけるように、お光はまた言った。

「今夜、あたしが呼んだら、夜着を持ってついておいで。奥の布団部屋で寝るからね」

それだけ言うと、くるりと踵《きびす》を返し、行ってしまった。お光の幅広い背中が見えなくなって初めて、おゆうはどっと汗をかいた。


——奥の布団部屋で寝るからね。

妙な命令だが、おゆうはさほど驚かなかった。その言葉の意味するところに、心あたりがあったからである。

おゆうが奉公にあがってから、十日ほどしてからだろうか。同室の女中ふたりが、おゆうひとりをはじいて、さかんに囁《ささや》き交わすようになったのだ。

——お光さんはまだ、この子を布団部屋に連れていかないね。

——おかしいね、妙に遅いじゃないの。

——あたしのときには、来て三日で連れていかれたよ。

——あたしは、その日のうちに。

——なんでおゆうは連れていかれないんだろうね。

日にちが経つにつれて、ふたりの女中の囁きの回数は増えてゆき、囁き交わすときの目の光り具合、口の歪《ゆが》み具合も増していった。

察するに、「奥の布団部屋に連れていかれる」というのは、女中にとっては恐ろしい罰か何かであるらしい。だからあのふたりは、自分たちは早いうちにそれを経験しているのに、おゆうが未《ま》だ経験していないことを不審に思っているのだろう。

しかし、だとするとそれはそれで不思議な話だった。おゆうはすでに、さんざっぱらお光に叱られている。ちょっと動作がのろのろしていたり、言われたことを一度で呑《の》み込めなかったりすると、お光は手加減なしに怒鳴りつけるし、時には手をあげる。「布団部屋に連れていく」というのが、新米の女中に対し、女中頭の権威を見せつけるための折檻《せっかん》であるのなら、ふたりの女中の言うとおり、おゆうだって、とっくの昔に連れていかれていなければおかしいところだった。

おゆうは、あれこれ考えたあげく、夜三人で川の字に横になっているときに、同部屋の女中たちに尋ねてみた。ふたりは枕の上に頭をのせたまま、はっと顔を見合わせた。このふたりにしては珍しい、生き生きとした表情が浮かんだ。

やがて用心しいしい、なんでそんなことをきくのかと問い返した。おゆうはぬかりなく、ふたりが話しているこことを聞きかじってしまったが、自分が未《いま》だに布団部屋に連れていかれないのは、兼子屋の女中としてちゃんと認められていないせいであって、だから早晩、ひまを出されて親元に追い返されるのではないかと思う、それが心配でたまらないのだというふうに返事をした。

　ふたりの女中はちょっぴり気をよくしたようだった。そして、新しく来た奉公人を布団部屋へ連れていくというのは、このお店の習わしなのだと教えてくれた。

　――なにも、女中にかぎった話じゃないんだよ。男の奉公人だって連れていかれるんだ。

　奥の布団部屋というのは、おゆうもすでに知っていた。この家のちょうど北東の角にある、四畳半の薄暗い座敷である。窓も押入もなく、今はまったく使われていない空き部屋だが、昔は一時布団部屋として使っていたこともあるというので、そう呼んでいるのだ。

　――鬼門にある座敷だから、ひとりで寝るのは薄気味悪いけど、お化けが出るわけじゃない。あたしなんか、自分の部屋で眠るよりもよく眠れたくらいだった。

　ひとりの女中は、得意そうにそう言った。

　――新しい奉公人に、度胸だめしをさせるというだけのことじゃないかね。

　もうひとりも、うんうんとうなずいた。

　――だから、その夜は、お光さんが布団部屋の廊下の唐紙の前に座って、なかで寝ている奉公人が逃げ出さないように番をしているんだよ。

　おかしな習わしだが、まあそれだけのことだとふたりは言って、一緒に笑った。だがその笑いは、ほんのしばらくすると、断ち切られたようにぴたりと止んだ。驚いたおゆうがふたりの方を見やると、ふたりはそろって両目を見開いたまま、ぼうっと天井を見あげていた。まるで、操り手をなくした人形のようだった。

　おゆうはもう何もきかず、教えてくれてありがとうとだけ言って、夜着をかぶった。

　そしてその夜、えらくはっきりとした夢を見た。どこだかしかとわからない真っ暗なところを、おさとと手をつないで歩いている夢だった。おさとはつないだ手を優しくゆさぶりながら、繰り返し繰り返し同じことを囁いていた。

――あんたには、姉さんがついてるから大丈夫よ。

　何が大丈夫なのかと問い返そうとしても、夢のなかでは声が出なかった。前も後ろも真っ暗闇で何も見えなかったけれど、ただ気配だけが感じられた。背後の暗がりのなかを、何か得体の知れないものが、おさととおゆうの後を尾《つ》けて、くっついてくるのだった。そのものの引きずるような足音と、激しい息づかいが、闇のなかに聞こえるような気もするのだった。

　これは夢だと承知していながらも、おゆうは恐ろしさに身体が震え、姉の手を握る自分の手がじっとりと汗ばんでいるのを感じた。背後のものは、ひどくゆっくりと歩いているようでもあり、ときどき急に足を速め、距離を詰めてくるようでもあった。それがすぐそばまで近づいてくると、闇のなかに何かが匂った。それの息の匂いかもしれなかった。ひどく熱い息で、ぜいぜいと喉を鳴らすような音が聞こえることがあった。

——臭いね。

真っ直ぐ前を向いたまま、おさとが彼女らしくない冷たい口調で言った。

——あれはね、すごくお腹を空かしているんだよ。

おゆうは一瞬、姉が「あれ」と吐き捨てるように呼ぶものの正体を、振り返ってこの目で確かめたいと思った。だが振り向こうとした寸前に、「あれ」が唸《うな》るような声をあげるのが聞こえてきて、気持ちがくじけた。

背後のものの足が遅くなったのか、引きずるような足音が遠くなってゆく。おさとはそれでも足をゆるめず、ずんずん進んでいく。そのときふと、おゆうは、「あれ」はおそろしく飢えているだけでなく、おそろしく孤独なのだということを悟った。

翌朝、目を覚ますと、なんだかとても悲しい気持ちになっていた。日が高くなり、夢の細々としたことは忘れても、生姜《しょうが》や茗荷《みょうが》の葉を噛《か》んだときみたいに、悲しみの切れっぱしの匂いだけが、かなり長いこと口のなかに残っていた。

一方では以前に見た夢のことを思い出し、もう一方では「布団部屋で寝る」ことはどんなことなのかと考えていたものだから、その日のおゆうは、あまりてきぱきした働き手ではなかった。半日のうちに三度も、お光に叱られるようなへまをしでかしてしまった。

だから、井戸端での言葉どおり、その夜も真夜中近くなってからお光が迎えにやってきたときには、かえって少しばかりほっとしたような気持ちになった。あれこれ考え煩うよりも、早く済ませてしまった方が楽だ。おゆうはお光に命じられるまま、おとなしく夜着をたたんで、その上に枕をのっけ、それを両手に抱えて彼女の後に従い、奥の布団部屋までついていった。

廊下を歩いているあいだは、お光は一言も口をきかなかった。布団部屋の前につき、唐紙に手をかけると、おゆうの方を見ないまま、唐突に意外なことをきいた。

「おさとの四十九日は、たしかに過ぎたよね」

そう、昨日が四十九日だったのだ。人は死んだあと、四十九日まではたましいがこの世にとどまるが、それを過ぎたらあの世にいくのだと言われている。だから、姉の四十九日がいつくるか、おゆうはちゃんと数えていた。その日がすぎたら、姉さんの気配が消えてしまうかもしれないと、心配でたまらなかったからだ。

「はい、昨日でしたから」

おゆうが返事をすると、お光はうなずいて、唐紙をすいと開けた。

「なかにお入り」と促されて、おゆうは座敷に足を踏み入れた。かび臭い湿った空気が、おゆうを包み込んだ。息苦しくなるようだった。

「枕を置いて、横になって夜着をかぶりなさい。布団はないから、畳にじかに寝るんだよ」

お光は、自分は座敷のなかに踏み込まず、入口の唐紙の手前で蠟燭《ろうそく》をかざして、てきぱきと命令した。おゆうが言われたとおりに横たわると、そこに立ちはだかったまま言った。

「明日の朝、あたしが起こすまで、そこで寝ておいで。外に出ようとしちゃいけないよ。あたしは一晩、廊下で見張っているから、逃げようとしたらすぐに判るからね」

逃げたらお店《たな》においてもらえなくなるよと念を押し、お光は唐紙を閉めた。じっとりと濃い闇が、待ちかねたようにおゆうの上に落ちかかってきた。

最初のうちは、とても眠れないだろうと思っていた。目を閉じていても開けていても同じように真っ暗で、しんとして物音ひとつしない。同部屋の女中たちのいびきや歯ぎしりにすっかり慣れてしまっていたから、これではかえって目が冴《さ》えてしまって、おゆうは何度も夜着にくるまったまま寝返りをうった。そうして身体を動かすうちに、今夜はとりわけ、夜着にしみついたおさとの髪の匂いが強く感じられるような気がしてきた。

──姉さんがついているから大丈夫。

夢のなかで姉さんが言っていたのは、このことだったのだ。姉さんもあたしと同じ歳でここに奉公に来て、やはりこの度胸試しをさせられたのだ。さぞかし怖かったことだろう。心細かったことだろう。だけど、あんたにはあたしのたましいが一緒にいるから怖がらなくていいんだよと、夢のなかで慰めにきてくれたのだ。

そう思うと、安心して目を閉じることができた。いくらもたたないうちに、すやすやと寝息をたてて、おゆうは眠り込んでしまった。

そして、また夢を見た。

先《せん》の夢と同じ夢だった。おさとと手をつなぎ、前後もわからぬ暗闇のなかを歩いていた。

姉の手はきつくおゆうの手を握りしめ、先の夢のときよりも、心持ち早足であるようだった。

背後から、何かが後を尾けてくる。その気配も、前の夢のときと同じように、いや、いっそう強く感じられる。耳を澄ますと、ずちゃり、ずちゃりと、そのものの足音が聞こえた。

――振り返ったらいけないよ。

隣でおさとがそう言った。姉の口元は微笑んでいたが、両の瞳《ひとみ》は何かと対決しているかのように強い輝きを放ち、少しばかり怒っているみたいに目尻《めじり》が吊りあがっていた。

ずちゃり、ずちゃり。足音が追ってくる。それの呼気か鼻息か、胸の悪くなるような臭い息がおゆうの首筋にかかった。その匂いに、おゆうは三年ほど前にじいさまが死んだときのことを思い出した。じいさまは腹のなかに水のたまる病で死んだ。寝ついてからも気持ちの優しいことに変わりはなく、看病する者にほとんど手間をかけない病人だったけれど、臨終の間際に吐く息だけが、めまいがするほどに臭かった。あとで父さんにきいたら、どんな心のきれいな人でも、死ぬ間際には、腸《はらわた》が腐ってしまうから、息が臭くなるのだと教えてくれた。

それでは、後ろから追いかけてくるこのものは、死にかけている人だろうか。だから足音もあんなに重たいのだろうか。

そのとき突然、おさとが歌い始めた。

「鬼さんこちら、手の鳴るほうへ」

大きな声だ。はずんだ声だ。姉は後ろから追ってくるものの正体を知っていて、それから逃れるために、それに追いつかれてたまるかと、自分を奮い立たせるために、そうして歌っているのだと思えた。だからおゆうも声をあわせた。

「鬼さんこちら、手の鳴るほうへ」

「鬼さんこちら、手の鳴るほうへ」

おさとはおゆうの手を引いて、どんどん歩いていく。ときどき励ますように優しくおゆうの顔を見おろす。おゆうもその姉の顔を見上げ、目と目で微笑み、ひたすら足を前に運ぶことだけを考えていた。

どのくらい歩いたかわからない。やがて、真っ暗闇の前方に、ほのかに白く輝くものが見えてきた。

——ああ、夜が明けた。

おさとが嬉《うれ》しそうに声をあげた。

——おゆう、走って。

おさとに手を引っ張られ、おゆうは走り出した。ふたりでどんどん駆けていくと、白い光がぐんぐん近づいてくる。それが広がって頭上にまで届くほどの強い光になると、おさとが歓声をあげた。

——さあ、これで逃げ切った！

ひと声叫ぶと、おさとはおゆうを連れて白い輝きの真ん中に飛び込んだ。おゆうの回りを、まばゆい光が取り囲んだ。

そこで目が覚めた。おゆうははっと身を起こした。座敷のなかはまだ真っ暗だった。しかし、おゆうのすぐうしろで、何かが身じろぐ気配がした。

おゆうは素早く振り返った。暗がりのなか、おゆうの枕元に、闇よりなお暗く黒いものがうずくまっていた。それが身体から発する悪意のようなものを、目で見るだけでなく手で触れているかのように鮮やかに、おゆうには感じとることができた。

それはうめくように声をあげた。

「四十九日はすぎたのに」と、さも悔やしげに吐き捨てると、ぱっと消えた。あとには闇しか残らなかった。

おゆうは夜着を身体に巻き付け、じっと身構えたまま座っていた。やがて、唐紙の外でお光の声がした。起きているかと呼びかけられて、おゆうははいと返事をした。

唐紙が開けられた。夜明けの光が廊下にさしかけていた。お光はそこに正座して、きっとばかりにおゆうをにらみつけていた。

その目は、まるで一晩中一睡もしなかったかのように、真っ赤に血走っていた。

その日の昼過ぎに、おゆうはまたお光に呼ばれた。蔵のなかを片づけるから、手伝えというのである。

女中たちはいぶかった。蔵の片づけは、お光が手配をして、古参の女中たちだけでするのがしきたりである。蔵には大事なものや金目のものがたくさんしまってあるのだから、それが当然だった。

しかし、誰もお光に逆らうことはできない。おゆうはどきどきしながらお光について蔵に入った。ふたりが入るとすぐに、お光は蔵の戸を閉め切ってしまった。壁の高いところに切られた明かり取りの窓から、金色の日差しが斜めにさしこみ、そのなかで細かな埃《ほこり》が舞っていた。蔵のなかで動いているものといったらそれだけだった。

「そこにお座り」

お光は床を指さして、自分も先に腰をおろした。その動作はいつになくのろのろと大儀そうだった。おゆうは、今朝方のお光の真っ赤な目を思い出し、やっぱりお光さんは昨夜《ゆうべ》ぜんぜん眠っていないんだと思った。

「おまえを呼んだのは、片づけをするためじゃない。話したいことがあったからよ」

ゆっくりとした口調で、お光はそう切り出した。こうして近くで見ると、頰の下や目のまわりなど、お光の肌は荒れてささくれだっており、顔色もすぐれない。ただ、目ばかりがしんと落ち着いて、おゆうを見据えている。

おゆうは床にきちんと正座をした。それでも、いつでも逃げ出すことができるように、足の指を動かしていた。

「怖がることはないよ」と、お光は薄くほほえんだ。兼子屋に来て初めて、おゆうはこの女中頭が微笑するのを見たのだった。

「昨夜は、よくぞあたしを負かしてくれたね」と、お光は言った。そして右手を持ち上げて、疲れたように首筋をさすった。

「あんたを追いかけていたのはこのあたしだ。あんたの身体からたましいをひっこ抜いてくれようと思っていたんだけれど、おさとのたましいに邪魔されて、とうとうできなんだ。四十九日がすぎたから、おさとのたましいももうあんたのそばにはいないだろうと思っていたのに、あれはまだ近くにとどまって、あんたを守っていたんだね」

――四十九日はすぎたのに。

布団部屋の暗闇のなかで、あの悪意あるものが吐き捨てた台詞《せりふ》を思い出して、おゆうはぞうっと首筋の毛が逆立った。

では、あれはお光だったというのか。

「そうとも、あれはあたしだ」と、お光はうなずいた。「というより、あたしであってあたしでないと言った方がいい。ねえ、よくお聞き。あたしはあんたに助けてもらいたくて話をするんだからね」

兼子屋は祟《たた》られているのだと、お光は語り始めた。

「このお店は、今の旦那《だんな》さまで七代目になりなさる。立派なお店だ。だけれど、遠い昔、初代の旦那さまがこのお店をつくるために、ある男を殺《あや》めて、その亡骸《なきがら》を隠した。たぶん、お金のためだろう。あたしも詳しいことは知らない」

殺された者の魂魄《こんぱく》は、恨みを呑《の》んでこの世に残り、彼の血の上に築きあげられた兼子屋に憑《とりつ》いた。兼子屋の主人が代々早死になのもそのせいだという。

「だけれど、この家に憑いて祟っているものは、そのうちに、旦那さまの命を縮めるだけではおさまらなくなった。それがこの世に形をもってとどまるためには、生きた人のたましいを食らわなくちゃならないんだ。ちょうどあたしたちが、ご飯を食べなければ生きていられないのと同じにね。だから、そのために、まず奉公人のひとりの身体に乗り移って、家のなかに入り込み、ほかの奉公人のたましいを抜き取るようになった」

代々にひとり、身体を乗っ取られる奉公人がいたのだという。それは番頭のときもあれば、女中頭のときもある。その乗っ取られたものが手配りをして、あの布団部屋に奉公人たちを連れ込み、たましいを奪うというしきたりをつくりあげてきた。

「そして、今はあたしだ。あたしの身体は、このお店とこの家に仇《あだ》をなそうと憑いている魔物に乗っ取られているんだよ」

お光がここへ奉公にあがったのは、十二歳のときだったという。悪いものに憑かれたのは二十歳のときで、そのとき彼女は兼子屋の歴史でもいちばん若い女中頭になったばかりであった。その出世を誇り、仲間の奉公人たちを見下してはばからない奢《おご》りの心が、つけこまれる隙をつくったのだと、苦いものを嚙《か》むような口つきになった。

「たましいを抜かれると、人は文句を言わなくなる」と、お光は言った。「怠け心もなくなるし、欲張りでもなくなる。遊びたいという子供の心もなくなる。家が恋しいこともなくなる。ちょっと見には普通の人間のように見えるし、普通の人間のように振る舞うけど、中身は空っぽなんだ。木偶《でく》人形みたいなものさ。だからこそ、兼子屋の奉公人はみんな、よそのお店が目を見張るような働き者になることができるんだ。病気にもならず、怪我もしない。なにしろ、半分は生き物じゃなくなっているんだからね」

そしてお店は繁盛する。世間様は、兼子屋の奉公人に対する躾《しつけ》は大したものだと感心する。

だが、代々の主人《あるじ》は、その繁栄や評判を、心の底から楽しむことはできない。なぜなら彼は、自分が普通の人の半分ぐらいの歳で、命をもぎとられるようにしてこの世を去らねばならないと承知しているからだ。先代、先々代と早死にが続けば、次の主人も、三十路《みそじ》にかかるかかからないかの歳から、自分にはいつお迎えがくるかと案じるようになるのは当然のことだ。

主人の妻も子も、人生のある時期から、夫の、父の、突然の死を恐れながら日々を生きねばならなくなる。死神の鎌を後ろ首につきつけられての暮らしは、どれほど裕福でも、けっして楽しいものではない。本当に気の休まる時もない。

それこそが、兼子屋の被っている本当の祟りなのだった。

「あんたは明日でおひまを出される」

おゆうに向き直って、お光《かみ》は言った。その目がわずかに潤んでいた。

「あたしが旦那さまとお内儀さんにそう申し上げるから、あんたがいるとお店に良くないことが起こるって、言いつけ口をするからね。きっとおひまを出される。それでいいんだ。あんたはもうここにいてはいけない」

ただ、出ていく前に、やってほしいことがあると、お光は膝《ひざ》を乗り出した。

「台所の水瓶《みずがめ》のうしろに、お榊《さかき》を一束と塩をひと包み隠しておくから、今夜丑《うし》三つ時になったら、あんたこっそりあの布団部屋に行って、座敷のなかにそれを投げ込んできておくれ。いいかい、きっとだよ。それさえしてくれたら、もう何も怖いことはない」

いいね、頼んだよと言って、お光はぐいとおゆうの肩をつかんだ。その力の強さもさることながら、着物の上からでもはっきりと感じることのできるその手の冷たさに、おゆうは身震いした。

「はい、お約束します」と、震える声で答えた。するとお光はにっと笑い、おゆうの肩から手を離して立ち上がった。

「あんたにはおさとのたましいがついているから、怖がらなくても大丈夫だよ。あの娘には負けた。やっぱり、たいした度胸のあるしっかり者だった」と、少しやわらかい声音になって言った。

「あたし、昨夜あの布団部屋で、姉さんの夢を見てました」と、おゆうは言った。

「そうかい」

お光はうなずくと、ちょっと考え込むように首をかしげてから、ごめんよと呟《つぶや》いた。

「実はね、あたしに憑いてる悪いものも、あんたの姉さんのたましいだけは、どうしても抜くことができなかったんだ。ここへ奉公にきてもう五年も経っていたのに、何度布団部屋に寝かせても、どうしても駄目だったんだ。きっとおさとが、妹のあんたや、離れて暮らしている家族のことを、ずっと大切に思っていたからだろうね」

おゆうは姉のことを思って胸がつまった。

「姉さんは、あたしには母さんみたいなもんでした」と、思わず言った。

「そうかい。おさとは、離れていても、片時だってあんたのことを忘れなかったんだろう。だから、隙がなかったんだね」

お光は納得したように目を閉じた。そのまま、しばらくじっとしていた。

「だけどね、そのせいで、おさとはあんな死に方をすることになっちまったんだ。あれはね、取り殺されたんだよ。あたしはね、もう、そんなことはたくさんだと思うんだよ」

そう呟くと、思い決めたようにぱっと目を開き、お光は蔵の戸に手をかけ、強く押して開けた。彼女が外の日差しのなかに出ていくと、地面の上に影が落ちた。見るともなくそれに目をやって、おゆうは危うく、あっと叫びそうになった。

お光の影は、大柄な彼女の姿を映して黒々と大きく、頭に二本の角が生えていた。

その夜の丑三つ時、おゆうはお光に頼まれたとおりのことをした。暗闇のなかで、布団部屋に投げ込んだお榊の、強い緑の匂いが頼もしかった。

翌朝、浅い眠りから目を覚ますとすぐに、お光に呼ばれて主人夫婦のところに連れて行かれた。働きが足りないと、お暇を出されることになった。主人夫婦は当惑気味で、終始お光の顔をうかがうような表情を浮かべていた。

おゆうは素直に平伏し、身の回りのものを小さな風呂敷包みにまとめて、兼子屋を離れた。見送る者はひとりもいなかった。

大島村の手前まで来て、おゆうは初めて怖くなり、膝《ひざ》ががくがくと笑ってしまって、それ以上一歩も歩けなくなった。通りがかった村のおじさんがおゆうを見つけ、背中におぶって家まで連れ帰ってくれた。

それから十日ほどして、兼子屋が火事になったという噂が聞こえてきた。火元のはっきりしない火事で、主人が焼け死に、屋敷も店も跡形もなく焼け落ちたという。その数日前、女中頭のお光が出奔して姿を消していたので、町役人たちや岡っ引きは、彼女がこの不審火と関わりがあるのではないかと考え、行方を探しているという。

お光の出奔も、不可思議なことだった。彼女の身の回りのものは、すべて部屋のなかに残されていたし、彼女が兼子屋を出ていくところを、誰も目にしていなかったのだ。ただ、彼女が姿を消したのと同じ日に、彼女の部屋から、紅《あか》い着物を着た見慣れない二十歳くらいの女が現れて、そのまますると外へ出ていくのを、女中のひとりが見かけていた。彼女の話を聞いた大番頭が、その不思議な女の姿形や着物の柄が、若いときのお光によく似ていると言ったが、人がにわかに若返るわけもないので、話はそれきりになってしまった。

火事のあとしばらくして、兼子屋の建っていた地所を掘ってみたところ、北東の角のところから、人の骨が出てきた。とても古い骨で、すっかり変形し、ほとんど元の形をとどめていなかったという。そのせいで、頭に角が生えているような形になっていたという。どこの誰の骨であるかということは、とうとう判らなかった。あるいは、人の骨ではないのかもしれなかった。

おゆうは別のお店に奉公が決まった。そこの女中頭も怖い人で、叱られると肝が縮んだ。だがこの女中頭の影は、いつだって人の影の形をしていたから、怖がることはないのだった。

兼子屋のことは、ほどなく忘れた。もう夢を見ることもない。ただ、おさとの匂いのしみこんだ夜着のことは思い出す。火事になってしまうのならば、あれだけは持ち出したかったと、懐かしいような気持ちになって、おゆうはしみじみと考える。

梅の雨降る

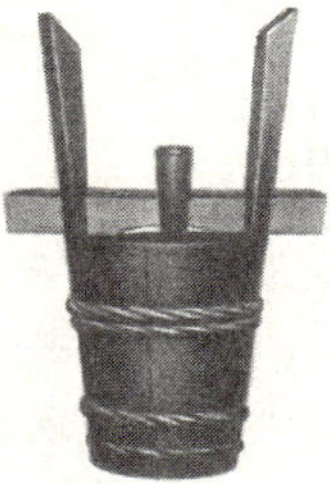

村田屋の勝手口を出たところで女中に挨拶《あいさつ》をし、打藁《うちわら》で手を拭《ふ》いていると、裏通りの方からみのさん、みのさんと呼ぶ声が聞こえてきた。振り返ると、おこうがこちらにむかって手を振りながら走ってくる。

「ああよかった、つかまって」

おこうは裏口の木戸を抜けると、そこで両手を膝《ひざ》についてはあはあ言った。

「今日は巳《み》の日だから、いちばん始めに村田屋さんに廻《まわ》るだろうって、お糸ちゃんが」

「うちのやつがどうかしたんですか」

お糸は臨月の身体である。長屋のかみさんたちの診立てでは、産気づくにはまだ半月ほど早いらしいが、こればかりはわかったものではない。箕吉《みのきち》は不安を感じて、まだかがんで息を切らしているおこうの方に乗り出した。

おこうはしゃにむに手をひらひらさせて、

「ちがう、ちがう、お糸ちゃんは大丈夫だよ、なんでもないよ」

大工町の長屋からこの佐賀町の角まで駆け通しに駆けてきたのだろうが、それにしてもおこうは本当に苦しそうで、箕吉はふと、おばさんも歳をとったのだなと感じた。無理もない。おこうと箕吉の一家は、彼がよだれかけをしているころからの近所付き合いで、火事で焼け出されて家移りしたり、よんどころなく店替《たなが》えをするときもずっと一緒だった。おばさん、おばさんと、何かと頼りにしてきた箕吉がそろそろ人の親になろうかというのだから、おこうの足が弱るのも当たり前のことなのである。

それでもお糸に変事があったわけではないと聞いて、箕吉はぐっと落ち着きを取り戻した。村田屋の女中が話し声を聞きつけてひょいと顔を出したので、

「おばさん、水を一杯いただきましょうか」

おこうはまだぜいぜい言いながらうなずいた。箕吉が頼むと、女中は快く引き受けて、大ぶりの湯飲みに水を満たして持ってきてくれた。

「ああ助かった」おこうは湯飲みの半分ほどをひと息で飲み干すと、大きく息を吐き出した。「すまないね、とんだ役立たずの早駕籠《はやかご》だ。あたしも焼きがまわったもんだ」

そう言って、おこうはようやく箕吉の顔を見た。その目がわずかに赤くなっていることに、箕吉は初めて気がついた。

「おえんちゃんが死んだよ」と、おこうは言った。「あんたが出たのと入れ違いに上総屋《かずさ》さんからお遣いがきてさ、しらせてくれたんだ。今朝起こしにいったら、布団のなかで冷たくなっていたそうだよ」

おこうの小さい目から、出し抜けに涙がぼろぼろとこぼれた。

「可哀想にね。だけどこれで、やっと楽になったんじゃないのかね」

　箕吉はすぐには言葉がなく、ゆっくりと背中を伸ばして、ただ両手を身体の脇に垂らしていた。膝のあたりががくがくする。今朝はまだ商い始めで、樽《たる》のなかにはまだたっぷりと種油が入っている。しっかりしないと担いで帰れない——と、ぼんやり考えていた。

「いろいろ後始末があるだろうから、あんた、早いところ上総屋さんに行った方がいい。巳の日のお得意先は、教えてくれればあたしたちで手分けして廻るからさ。松ちゃんの方にも、あたしが知らせに行くし」

　ひと息に言い切って、おこうは肉づきのいい手の甲でぐいと顔を拭《ぬぐ》った。

「おえんちゃんは、いくつだったっけね」

「二十八です」箕吉は答えた。彼ら姉弟は年子だった。

「そうすると、十五年も病んでたんだね」あらためて感じ入ったように、おこうは呟《つぶや》いた。

「永かったねえ、あんた」

　そのあんたという言葉は、箕吉に向けられたものではなく、すでに身体という枷《かせ》を離れて、今この場に、彼らのすぐ近くに漂っているかもしれないおえんの魂に向かって呼びかけられたもののように思われて、箕吉は思わず顔をあげ、まわりを見回した。

　むろん、誰がいるはずもなかった。村田屋の敷地のどこかに梅の木があるのだろう、淡い香りがするばかりだった。そういえば姉さんは梅の花が好きだった——箕吉はあらためて思い出した。美しいばかりで、散ってしまえば何の用もなさない桜やさつきは大嫌いだ、あたしは梅の花の方がずっとずっといいと思う。そんな勝ち気な少女の口振りさえも、鮮やかに思い出された。

十五年前の、ちょうど今ごろの季節のことである。

そのころ箕吉の一家は、北六間堀町の裏長屋に住んでいた。父と母とおえん、箕吉、いちばん下の松吉の五人の所帯で、父は担ぎの油売りを、母は佐賀町の藍玉《あいだま》問屋の上総屋へ、もう二十年近く通いの女中奉公をしていた。十二歳になったばかりの箕吉は、ようやく父の商いの手伝いができるようになり、本人は一人前の男の入口に立ったような気分で、そろそろ生意気な口をきくようになっていた。

姉のおえんは、七つ八つのころから、忙しい母に代わって弟たちの面倒をみてきた。十を越したころには飯の支度も立派にこなすようになり、近所でもしっかり者と評判の少女であった。このころ箕吉たちの向かいに住んでいたおこう夫婦も、何かとおえんを頼りにし、またしきりに彼女の働きを誉めた。あたしらにもおえんちゃんみたいな娘がいれば、どんなにか頼もしいんだけど——というのがおこうの口癖だった。そして父はもちろん、ふだんめったに奢《おご》ったようなことを口にしない母親でさえも、このおえんの評判に対してだけは素直に胸をふくらませ、得意に思っているようだった。

おえんは箕吉にとって、時には母親以上に厳しい存在だった。姉弟の遠慮のなさで、彼女は人前でも平気で箕吉のことを、やれだらしないの汚いの気が利かないのぼんくらだのと、まともにとげとげ叱りつけた。末の弟の松吉はまだ幼いからと、おかいこぐるみで可愛がっているくせに、えらく不公平な扱いだ。

とはいえ、おえんの叱ることには間違いがなく、箕吉がいくら一丁前のつもりでも、いざという場面では、半分も言い返すことができない。だいたいが女の子は口が達者なもので、しかも歳も上で知恵もある相手だから、最初から勝負は決まっていた。だからこのころの箕吉はおえんが憎くてしょうがなく、姉さんなんか箒《ほうき》で掃き出すか、六間堀に簀巻《すま》きにして沈めちまいたいというのが、彼の正直な本音であった。

ところが、初春の梅の花が咲き始めるころ、この向かうところ敵なしのはずのおえんの身の上に、不運なことが降りかかった。

事の起こりは、深川八幡《はちまん》様の近くにある料理屋で、出代わりで新年から奉公にあがった女中が、主人夫婦の機嫌をいたく損ねることがあって、早々にお暇になった、そこで急いで代わりを探している――そんな話が、かねてから懇意の口入《くちいれ》屋を通して、おえんのところに持ち込まれたことにある。口入屋の話では、先様は躾《しつけ》に厳しいお店なので、先の女中をしくじったことでは自分も面目を失った、二度の失敗は許されないので、今度は本当に間違いのない娘さんがほしいという。つまり、おえんは見込まれたわけである。

これまでにも奉公の話がなかったわけではない。だが父も母も、おえんがしっかりと弟たちの世話をし家を切り回してくれるおかげで稼ぎに専念できるわけで、そうやすやすと彼女を余所《よそ》にやるわけにはいかないと、そのたびに断ってきた。だが今回は、口入屋が頭を下げて、ぜひおえんにと持ってきた話である。奉公先の料理屋も、近年になって二ノ橋の平清《ひらせい》と並び立つほどの評判をとるようになった有名なお店だ。それでも渋る父母をさしおいて、何よりも本人がいちばん乗り気であった。

箕吉は、そんなことには関心のないようなそぶりをしながらも、実は心のなかで大いに期待していた。目の上のたんこぶの姉ちゃんが奉公に出てくれれば、もう叱りつけられることもない。一度奉公にあがってしまえば、五年は藪入《やぶい》りで戻ることもできないのだから、家のなかは箕吉の天下である。おう、行っちまえ行っちまえ、一日でも早い方がいいやという気持ちだった。

こうして、箕吉の願いが通じたのか、おえんの熱意にほだされたのか、父母は間もなく折れて、口入屋に良い返事をすることとなった。このときのおえんの花の咲いたような笑顔を、箕吉は今でもよく覚えている。おこうもたいそう喜んで、おえんちゃんのために急いで新しい着物をこしらえようかなどと言ってくれた。ちょうど、六間堀長屋のとっつきにあったまだ若い梅の木が満開で、箕吉は、その下でおえんがおこうと嬉《うれ》しそうに何か相談事をしているのを見かけ、ふんと鼻など鳴らしたものであった。

ところがである。

母がおえんを連れて口入屋に返事にゆくと、彼の態度はがらりと変わっていた。料理屋の話はもう決まってしまった、おえんちゃんにはもっといい話を持ってくるから、しばらく待っていてくれというのである。

日頃はおとなしい母も、これにはかあっとなった。あれほどおえんでなくてはならないと言ってきた話なのに、いったいほかの誰に決まったというのか、おえんに何か不足があるというのか、わけを聞かせろと口入屋に食い下がった。口入屋は困り果てて、言を左右に言い訳を並べたが、納得しない母娘《おやこ》の前で、とうとう本当のことを言わないわけにはいかなくなってしまった。

先方の料理屋が先の女中をお払い箱にしたのは、彼女が田舎者で、立ち居振る舞いもどすどすとして、おまけに狆《ちん》がくしゃみをしたような顔だったからだというのである。お内《か》儀《み》が言うには、料理屋というのは贅沢《ぜいたく》商売なのだから、お運びや内働きの女中たちも、それなりに華がなくては困る、躾は後からでもできるが、見目形《みめかたち》だけは後から直せないというのである。

おえんがはねられたのも、実はそこであった。先の山出しですっかり懲りたお内儀は、口入屋の推す娘の容姿を、事前にこっそり確かめていた。それで、おえんよりも、もっと顔かたちの美しい娘の方に気を惹《ひ》かれ、そちらで話をまとめてしまった――という次第であったのだ。

箕吉はこの話を、長屋に帰ってきた母が、泣いたり怒ったりしながら父にうち明けているのを聞いて知った。おえんはしおれてこそいなかったが、石のように黙りこくって、両の目尻《めじり》には、今まで箕吉が見たことのないような、鋭い線が浮かんでいた。

噂はまたたくまに長屋のうちに広がり、明くる日には六間堀町の人たちがみな知っていた。箕吉はおえんが可哀想なような気もしたが、なにしろ今まで向かうところ敵なしだった姉の初めての敗北に、いささか快いところもあり、近所の遊び仲間たちが無遠慮に彼女をからかうときなど、一緒になって囃《はや》したりして、あとで母にもおこうにもこっぴどく叱られた。

実際に、おえんはけっして器量よしではなかった。十人並みより下かもしれない。年頃にさしかかった姉がそのことを、実はひどく気にしているのだと、そのころの箕吉には、まったくわからなかったのだ。


半月も経つと、おえんの奉公が流れた話について、もう誰も取りざたしなくなった。いたずら小僧たちさえ、すっかり忘れてしまって何も言わなくなった。当の本人も、今までと同じようにきりきりとよく働き、何事もなかったような顔をしている。

もっとも、箕吉一人だけは少しばかり事情が違った。おえんに叱られるたびに、仲間たちと一緒になって彼女をからかったときの言葉が喉元《のどもと》まで出てくるのだが、後の災いが怖いのでぐっと我慢をする――という毎日だったのだ。姉のいちばん痛いところをつかんでしまった以上、そこをつっつくのは本当に必要なときにだけにしておこうという、子供なりの悪知恵もあった。今思うと、あのころの自分はずいぶんと性根の曲がった子供だったと、箕吉は身の縮むような思いがする。

梅の花が散り、桜の枝に淡い紅の色の気配がさし染めるころ、箕吉たち姉弟は、おこうに連れられて縁日に出かけた。六間堀町から東へ二丁ばかり行ったところにある神社の縁日で、旧い謂《いわ》れでは、ここのご神体は、その昔ここらがまだ海だったころに、何処からともなく流れついた鏡だという。この鏡は人の心の正邪をあやまたずに映し出し、魔を払う不思議な力を備えていると伝えられていた。

小さなお社だが、五の付く日に開かれる縁日は賑《にぎ》やかで、これまでにも箕吉たちは、たびたびおこうに手を引かれて遊びに来ていた。おこうのところは夫婦して提灯《ちょうちん》作りを生業にしており、その日の仕事が終われば手も空《す》くと、気楽そうに暮らしていた。夫婦仲がいいのに子供に恵まれず、その分、こういうときは、箕吉たちを、実に気前よく可愛がってくれたのだった。

ただ、おこうは信心深い人で、子供たちが縁日の出店に気を惹《ひ》かれて騒いでも、必ず先にお参りの方を済まさせた。箕吉は信心なんかはわからず、おこうに頭を押さえられて手をぱんぱんとやる口である。松吉はまだ頑是無いからおとなしくおこうの真似をする。おえんは、なにやら神妙にしばらくのあいだ手をあわせてから、本殿に向かって深々と頭を下げ、ようやく気が済んだようだった。そしておこうに言った。

「おばさん、あたしおみくじを引きたい」

本殿の脇の建て屋に、おみくじを引かせるところがある。おえんは縁日のたびにここへ来ておみくじを引き、それを大事そうに帯のあいだにはさんで持ち帰るのだ。箕吉にはそんなもの、面白いとは思えないのだが。

「いいとも、行っておいでな」

おえんは砂利に履き物を鳴らして駆けてゆき、狭い境内に行き来する人のなかに紛れて見えなくなってしまった。箕吉は、おこうと手をつないだ松吉が、あれを食べたいこれを買ってとねだるのを聞きながら、自分も大いに心をそそられつつ、もう一丁前の大人なんだから本当は縁日なんかどうでもいいのだというような顔をするのに一生懸命だった。

おえんはしばらく戻ってこなかった。ややあって、人混みのあいだから顔をのぞかせた彼女は、いつものようにおみくじの白く細長い紙切れを帯のあいだにはさんだりせず、何かネズミや虫の死骸《しがい》をぶら下げてでもいるように、指先でつまんで持っていた。

「あらまあ、どうしたんだい？」おこうがすぐに不審そうな顔をした。

「それがねえ、おばさん」

おえんはちらと弟たちの顔を気にしてから、小声で言った。

「大凶だったの」

おこうは驚いたように目をしばしばさせて、おえんの手からおみくじを取り上げると、子細にながめた。

「へえ……こりゃまた、ねえ」

「あたし初めてだわ」

おえんは両の眉《まゆ》をひそめていた。

「気にすることはないよ。よく言うじゃないか。いちばん下までいったら、あとは運が上向きになるばっかりだからね。そこの枝に結んで、神様にお返ししていけばいいんだよ」

おこうはつと目をあげて、境内の梅の木の方を示した。すっかり花の散った枝が、さあここに結びなさいと促すように、頃合いに突き出している。すでに先客たちが結んだいくつかのおみくじが、花に代わってぽつりぽつりと枝を彩っていた。

「そうね、そうだわね」

おえんは言って、眉根をゆるめた。そして梅の枝の方へ伸び上がりながら、

「松吉が焦《じ》れてるから、おばさん、先に連れて行ってくださいな。この子は飴《あめ》細工が見たいんだから」と笑ってみせた。

おこうは両手に松吉と箕吉の手を握ると、さあて行こうかと境内を戻り始めた。箕吉は、おこうおばさんに手を引かれて歩くなんて子供っぽいことはもうしたくなかったから、何となく身をひねっておこうから逃げて、その拍子に、これまたなんとなく姉の方を振り返った。

おえんは梅の枝におみくじを結びつけていた。それだけなら不思議はなかったが、箕吉は、姉がしきりに口を動かしていることに目を留めて、おやと思った。

おえんは何か独り言を言いながら、おみくじを結んでいる。その横顔は妙にきりっとしていて、目尻の線が、あの料理屋の奉公を断られて帰ってきた日と同じように、きっぱりと鋭くなっていた。

わけもなく、箕吉は不吉なものを感じた。

そのとき、見つめていた箕吉の目が、おみくじを結び終えて手をおろし、こちらを向いた姉の目と、ぴたりと出会ってしまった。

姉は箕吉を見据えた。視線に嚙《か》まれたかのように、箕吉はぴくりと痛みを感じた。

おえんの視線はすぐに逸《そ》れた。箕吉はあわてて前を向き、急いでおこうの手をつかんだ。

やがて姉が追いついてきて、なんやかやと話しかけながら一緒に歩き出しても、箕吉は顔を上げて姉を見ることができなかった。


それから十日ほど後のことである。

箕吉が父と一緒に商いを終えて帰ってくると、珍しく母が先に家に戻っていて、戸口のところでおこうとしきりに話し込んでいた。母は父の顔をみると、ああおまえさんと、ほっとしたような声を出した。

「今おこうさんから聞いたんだけど」と、おこうの方を振り返る。「あの料理屋ね、そら、おえんを奉公人にって——」

父は桶《おけ》をおろすと、皆まで聞かずにうるさそうにうなずいた。「なんだっていうんだ」

「おえんちゃんを出し抜いて奉公にあがった女中が、疱瘡《ほうそう》にかかったんだってさ」と、おこうが言った。「女中は親元に帰されたけど、客商売だからね、大騒ぎだよ」

「こうなってみると、おえんがあそこに縁がなかったのは、かえって幸いだったわよ」

母は両手で胸をなで下ろすような仕草をしてみせた。

「疱瘡を済ますまでは、本物の器量よしとは言えないんだからね」おこうは、意地悪そうに歯の隙間から言った。「器量がどうのこうのなんて言いがかりを言って、おえんちゃんみたいな気だてのいい娘を袖《そで》にした罰があたったんだ。いい気味じゃないかい」

「まあ、おこうさん。その娘さんが悪かったわけじゃねえ」父は穏やかにそう言った。

「それより、その娘《こ》の家はどのへんなんだろう。子供らを近づけないようにしないと」

「それがね、元町なんですよ。田安さまのお屋敷の裏のほう」

「箕ちゃんや松坊が秋になると栗を拾いに行くじゃないか。遊び友達がいるのかもしれないけれども、気をつけないといけないね」

「近いなあ」と、父も急に怖い顔になった。

「うちはちゃんと疱瘡の神様を拝んでるから」母が箕吉の肩に手を置いた。「あたしも軽くて済んだし、あんただってそうでしょう。うちの子は大丈夫よ」

「おえんはどこにいるんだ？」

「松坊をつれてお遣いに」

ひとしきり話を続けているところへ、やがておえんが帰ってきた。母が飛びつくように迎えて、事の次第を話し始めると、驚いたことに、おえんはいきなり真っ青になった。

「あらまあ、どうしたんだい、おえんちゃん。まるで血が抜けたようだよ」

おこうが驚いておえんを抱きかかえようとしたが、おえんはその手を、彼女らしくない乱暴な仕草で振り払った。

「おえん……」

どうしたんだという問いかけに、彼女はようやく正気に戻ったように目をしばたたき、

「ああ、ごめんなさい、びっくりしたもんだから」と、震える声で囁《ささや》いた。

「そりゃそうだよね。無理もないよ。おえんちゃん、あのまま奉公してたらと思ったら、生きた心地がしないよね」

「まあ、おこうさん。奉公先で疱瘡にかかったとは限らないんだから」父がとりなし顔で言った。「流行病《はやりやまい》なんだから、どこにいたって用心はしないとね」

「そりゃそうだけど、でも、あたしはちょっとばかり気が済んだね」おこうは言い放って、鼻の穴をふくらませた。「ねえ、おえん、おえんちゃん?」

おえんは返事をしなかった。うつむいて、どこかひどく暗いところを、一心にのぞきこんでいるみたいな顔をしている。箕吉は思わず彼女の足元に目をやったが、おえんがのぞいている暗い場所は、おえんの目にしか見えないもののようで、箕吉の目には何も見当らない。どこからか春風に吹かれて飛んできた桜の花びらが、埃《ほこり》っぽい地面に一、二枚、寂しそうに散っているだけだった。

その晩、おえんはひどくうなされて、叫び声をあげて飛び起き、家の者どころか長屋じゅうの住人たちを驚かせた。どうしたのだと尋ねても、なんでもない、ただ怖い夢を見たのだと言って、もう大丈夫だと夜着をかぶる。しかし、またしばらくするとはっと起き上がり、結局は朝まで一睡もしなかった。

翌日も、その翌日も、夜になるとおえんはそのように激しく怯《おび》え、眠らないものだからたちまちのうちに身体が弱り、飯も食べず、口もきかず、三、四日もすると、まったくの病人のようになってしまった。あれほど元気いっぱいに暮らしていたものが、ほんの数日で枕もあがらなくなってしまうなど、これは疱瘡よりも怖ろしい流行病ではないかと、長屋の人びとは震えあがった。

父も母も、こちらは心配のあまりに夜も眠れず、商いにも出られない。箕吉と松吉はおこう夫婦のところにあずけられることになった。差配人の計らいで来てくれた町医者は、どれほど慎重に診立てても、おえんの身体にこれと言って悪いところは見つからない、これは気の病だと言う。近ごろなにかこの娘さんに、ひどく心を悩ませるようなことはなかったかと問われて、皆に思い当たることと言えば、例の料理屋の女中の疱瘡の一件ぐらいのものだ。話を聞いた町医者は、それでは、疱瘡怖さの病だろうかと首をひねった。しかし、今までそんな例は見たことも聞いたこともない。

おえんが寝ついて何日か後に、例の口入屋《くちいれ》が見舞いに訪れた。いい娘さんだし、先《せん》の埋め合わせに良い奉公先をと思っていたのに、どうしたのか痛ましいことだと、まんざら口先ばかりだけでもなさそうな心痛ぶりであった。

帰り際に彼は、料理屋の女中が昨夜息を引き取ったと言い置いて行った。せっかくのべっぴんが、亡くなるときには顔中あばたで覆われ、無惨な死に顔だったという。箕吉は、それを聞いた母が、深いため息をついて呟《つぶや》くのを聞いた。

「なんだか、その娘さんもおえんも、一緒になって悪いものに魅入られたようだわねえ」

箕吉は、姉がのぞきこんでいた、他人には見えない暗い穴の底に、いったい何があったのだろうかと考えた。

日が経っても、おえんはいっこうに良くならない。さすがに父も母もこれ以上生計《たつき》の道を離れるわけにはいかず、稼ぎに出るようになった。となると、日中おえんのそばにいて彼女の様子を見守り、あれこれと世話を焼くのは、箕吉の役目になってしまった。

おこうも手を貸してくれるけれど、彼女とて、一日中べったりとおえんのそばにいられるわけではない。松吉の面倒もみなくてはならない。箕吉はひとり、ぽつんと横たわっているおえんの姿を目の隅に引っかけながら、これまでずっとおえん一人に任せきりにしていた家のなかの細々とした仕事を、代わって引き受ける羽目に陥った。

そうなると、今までのおえんの働きの有り難みが、身に染みてよくわかった。おえんが何でもないようにこなしていた事どもが、すべて箕吉の手には余った。米をといだり青菜を洗ったり、洗濯をしたり水を汲《く》んだり、箕吉は一日働いて、しかしおえんの働きの半分も果たすことができないのだった。

おえんは一日布団の上に横たわり、元気だったころの半分ほどに痩《や》せ細り、ただ黙ってすすけた天井を見上げているだけだ。呼んでも返事をしないし、話しかけても何も言わない。それでも箕吉は、今まで姉のことを面憎いとばかり思っていた自分がひどく嫌らしく、頭が悪く、性根が腐っていたように思えてきて、おこうがこしらえてくれた重湯《おもゆ》をおえんの枕元に運ぶときに、ふと、今まで姉ちゃんのいうことをきかなくて悪かったというようなことを、もそもそと口に出した。

するとおえんは、仰向《あおむ》いたまま泣き出した。箕吉は困ってしまって、急いでおこうを呼びに行った。おこうが駆けつけてきてもおえんはまだ泣いていて、抱き起こされてもしゃくりあげながら泣いていて、しばらくすると手で涙を拭《ふ》きながら、箕吉にあたしの手拭《てぬぐ》いを持ってきてくれと頼んだ。箕吉がそうしてやると、おえんはそれで顔を拭い、おこうと箕吉が見ている前で、その手拭いですっぽりと顔を覆ってしまった。

「おえんちゃんたら、何するんだい？」おこうが心配そうに手をのばし、手拭いを除《の》けようとすると、おえんはやんわりと身を引いた。

「おばさん、こうしておいて」

「だってあんた――」

「あたしはみんなに会わせる顔がないんだもの。あたしの気が済むまで、こうしておいて。お願いだから」

結局おえんの頼みに負けた形で、手拭いはそのままになってしまった。父も母も、あえておえんに逆らうことはしなかった。今はもう、おえんが言うとおり、彼女の気の済むようにさせてやって、時が彼女を癒《いや》してくれるのを待つよりほかに手がないのだった。

桜の花の盛りの春を、おえんは手拭いをかぶって過ごした。今や彼女は誰にも顔を見せず、朝から晩まで手拭いの向こう側に隠れているようになった。手拭いを取り替えるのは、真夜中、皆が寝静まって誰も見ていないときだけだ。湯にも入らず顔も洗わない。ようやく飯は食うようになってくれたが、それさえも手拭いの陰に箸《はし》を差し入れて口に運ぶのだ。おえんちゃんはとうとう頭がおかしくなってしまったのだと、長屋の人びとは噂するようになった。

こうして一ヵ月以上が経った、とある日のことである。

朝からやわらかな春雨が降っていた。父も母ももう出かけ、松吉はおこうのところで遊んでいる。箕吉が井戸端で洗い物を終え、髪を濡《ぬ》らして帰ってくると、おえんが寝床から起きあがり、ぺたりと座り込んでいた。

「姉ちゃん、どうかしたかい」箕吉は急いで訊《き》いた。近ごろでは、おえんが人の助けを借りずに起きあがるなど、めったにないことだったのだ。

「厠《かわや》かい？　一人で立てるかい？」

箕吉が近づくと、おえんは手拭いをかぶったままの顔をゆらりとこちらに向け、わずかに首をかしげた。

「あんた、うちに入ってくるとき、今そこで女の人とすれ違わなかったかい？」

囁くような声で、そう尋ねた。

箕吉は誰にも会わなかった。なんで姉がそんなことを言い出すのかと、気味悪くなった。

「誰ともすれ違ったりしなかったよ」

「ああ、そう」おえんは言って、ゆらゆらとうなずいた、「あんたには見えなかったんだね。そんならよかった」

「姉ちゃん、何言ってるんだよ」

箕吉は姉の布団のそばに近寄った。寝間着の袖口《そでぐち》からのぞくおえんの手首は、松吉のそれよりも細くなってしまっており、老婆のようにしわが寄っていた。

「さっき、お千代ちゃんが来たんだよ」と、おえんは呟いた。

「お千代ちゃんて誰だよ」

「あの料理屋に奉公に行った娘《こ》だよ」

箕吉は驚いた。姉がその娘の名前を知っているとは思わなかった。

「姉さんは、お千代ちゃんのこと、よく知ってたんだよ」おえんは弟の気持ちを先回りするように言葉を続けた、「小町娘だったからね。お千代ちゃんは姉さんのこと知ってたかどうかわからないけど、こっちは何だって知ってたんだ」

箕吉は、本当にしばらくぶりに語り始めた姉の話の腰を折りたくなかった。だが、一方で、なんだかはいはいと聞いていてはいけないような気がした。姉さんにこんなことをしゃべらせてはいけないような気がした。

「お千代ちゃんは器量よしだったけど、怠け者だった」と、おえんは続けた、「どうかすると、他人《ひと》様《さま》のものと自分のものの区別がつかなくなるようなところもあった」

箕吉は、姉さんそんな話はやめな、死んだ人のことだよと言いたかったが、言えないのだった。舌が引っ込んだみたいになってしまっている。

「だからあたし、あの娘が奉公にあがって、あたしが駄目だったとき、本当に悔しかったんだ。あんな娘に器量の良し悪しなんかで負けるなんて、悔しくて腹が煮えて、夜も眠れないくらいだった」

手拭いに包まれたおえんの頭が、ゆらゆらと左右に揺れた。

「あんた、あたしがおみくじで大凶を引いちまったときのこと、覚えてるかい？」

いきなり何を言い出すのだろうと、箕吉は驚いた。だが、おえんの口調には、有無を言わさぬ響きがあった。それに箕吉は覚えていた。だから、うん、と小さく答えた。

「そう、やっぱりね。きっと覚えてるだろうと思ってた。あのとき、あたしはさぞかし怖い顔をしていたろうから」

そして、くくくと低く笑った。

「もうひとつ覚えていることはないかい？　あんたは小さかったから、忘れちまったかね。ほら、おこうおばさんが、おばさんの在所の山の神様の話をしてくれたときのこと」

おこう夫婦は、もとは上州の農家の生まれである。まだ二十歳になるかならずのころに、食い詰めて江戸へ逃げてきた。時々、在所の村の話をしてくれることもあるが、それはたいてい、おこう夫婦の苦労話であったから、箕吉は身を入れて聞いたためしがなかった。

「おばさんたちの在所の山神さまを祭ったお社には、変わった言い伝えがあったんだって。それはね、おみくじで凶を引いてしまったら、神社の裏の梅の木のところに行って、おみくじを枝に結びつけながら、こうお願いするんだ――この凶運を、あたしの代わりに、誰々さんにおっつけてくださいって」

そんな話、箕吉は聞いた覚えがない。

「そのお願いをするときは、必ず声に出して言わなくちゃいけない。そうでないと山神さまには聞こえないから。でね、そんなことをするのは嫌だからって、おみくじを梅の木の枝に結んだだけで、何も言わないと、凶運が倍になって返ってくるんだって」

箕吉は背中が冷たくなってきた。春の雨は温かいはずなのに、爪先《つまさき》まで冷えるような気がした。

「そんなのは、おばさんの在所の話じゃないか」と、わざと乱暴に言ってみた、「作り話かもしれないよ」

おえんはまた声をたてて笑った。その声に、箕吉はぶるりと身震いが出そうになった。

「そうだね。姉さんもそう思った。どうせ本当になるわけないって。だから、あのときやってしまったんだ」

「やったって――」

「大凶のおみくじを梅の枝に結びながら、この凶運をお千代ちゃんにおっつけてくださいって、声に出してお願いしたんだよ」

箕吉は黙っていた。さわさわと雨の音だけが聞こえてくる。

「お千代ちゃんが疱瘡《ほうそう》になったのは、姉さんのせいさ」小さいがきっぱりとした声で、おえんはそう言った、「だからお千代ちゃんは、姉さんのこと怒ってる」

「やめなよ、姉さん。そんなこと言ったってしょうがないよ」

「さっき来たんだよ、すぐそこに」

おえんは手拭いに覆われた頭を動かして、戸口の方に顎《あご》をしゃくってみせた。手拭いが揺れて、ほんの一瞬、尖《とが》った白い顎が見えた。

「今日はお千代ちゃんの四十九日だからね。やっぱり来たんだよ、姉さんのところに」

箕吉は乱暴に立ち上がった。恐ろしさをはねのけるために、大声で怒った。

「やめなよ、姉さん。俺はもうそんな話なんか聞きたくないよ」

おえんはふわりと頭を起こした。そして、かすれたような声で短く言った。

「ごめんね」

おえんは手をあげて、するりと手拭いを取った。彼女の顔が現れた。箕吉は何十日かぶりに、姉の顔をまともに目にした。

そこに、慣れ親しんだ姉の顔はなかった。一面に青黒い腫《は》れ物が浮き、病み崩れ、ほとんど鼻も口も見分けがつかない。ふたつの目だけがさえざえと、哀しいほど澄んだ瞳《ひとみ》で箕吉を見上げていた。

声もなく動転して、箕吉は外へまろび出た。足がもつれて春の雨の泥のなかに顔から突っ込み、そこで初めて叫び声が出た。何事かとおこうが飛び出してきた。

おえんは布団の上にぺったりと座り、手拭いで覆った頭を上下に揺り動かしながら、えへらえへらと笑っていた。絶え間なく降り続く春の雨のやわらかい音にあわせるように、高く低く、おえんの笑い声は途切れることがなかった。

それきり、二度と正気にはもどらなかった。


箕吉が長屋に帰ると、お糸はふくらんだ腹を両手で抱えるようにして座り、行李《こうり》を開けて、足袋だの肌着だのを並べているところだった。

「ずっと上総屋さんのお世話になっていたけど」目尻《めじり》に涙を溜《た》めて、お糸は言った。「棺《かん》桶《おけ》に入るときにはこれを着せてやってくれって、お義母《かあ》さんがあたしに言づてしてったから。お義母さんが縫ったのよ、これ」

「俺が持っていこう」

おこうの話では、おえんの亡骸《なきがら》は上総屋で葬ってくれるという。ここまで面倒を見たのだから最期まで――という有り難い申し出だ。箕吉は、生前の母が、上総屋さんには足を向けて寝てはいけないと、繰り返し繰り返し語っていたのをあらためて思い出した。

十五年前のあの春、完全に気が触れてしまったおえんを、箕吉たちには、もうどうすることもできなかった。母はたびたび、おえんと一緒に死ぬと叫んだ。そこへ、長年母が奉公をしている上総屋から、向島《むこうじま》にある寮に空いている座敷があるから、そこへおえんを住まわせてやろうという申し出があったのである。まさに地獄に仏であった。

――手のかかる病人ではないし、世話は手の空いているときにおっかさんがすればいい。

そのかわり、寮の方で住み込みの奉公をしてもらうことになるが、それでいいかね。

母は泣いて喜んだ。口さがない者が、上総屋さんでも昔、気の病で死んだお嬢さんがいるから、他人事とは思えないんだろう、空いている座敷というのも、そのお嬢さんが押し込められていた座敷牢《ろう》だなどとしきりに噂をしたが、もうそんなことはどうでもよかった。

結局、母はそれから十三年を住み込みで働き、傍らおえんの世話をした。その十三年のあいだには、父が思いがけず流行病《はやりやまい》で亡くなり、油売りの家業を箕吉が大急ぎで引き継ぐことになったり、松吉が奉公に出た先で気に入られ、婿に行ってしまったりと、様々なことがあったけれど、母の暮らしは、常におえんを中心にして回っていた。一昨年、彼女があっけなく亡くなってしまった後は、箕吉もさすがに覚悟を決めて、上総屋からおえんを引き取らねばならないかと思ったが、先様《さきさま》は寛大で、今さらおえんを外に出すのは可哀想だ、このままうちで面倒を見ようと言ってくれた。

そしてとうとう、おえんは上総屋で人生を終わることになったのだ。

お糸は家に残して、彼女のまとめてくれた肌着の包みだけを抱え、箕吉は急いで向島へと向かった。早朝は晴れていた空が曇りだし、道の半ばほどで小雨がぱらつき始めた。雨のせいで、梅の香がいっそう強くなるようだった。

上総屋の寮では、ここの内を仕切っているという年輩の男が出てきて、すぐに奥に案内してくれた。通された座敷で小さくなって待っていると、ややあって、歳のころは四十くらいの、小柄な女中が顔をみせた。こんと申します、と畳に手をついて挨拶《あいさつ》をすると、おえんさんには残念なことでしたと言った。

「あなたが姉の世話をしてくだすったんでしょうか」

「はい、この二年ばかりは、おかみさんのお言いつけで」

「それはありがとうございました」箕吉は深々と頭を下げた。なおも言葉を探して礼を述べようとすると、おこんは素早く遮った。

「旦那《だんな》様もお内儀《かみ》さんも、困っている者を放っておけなかっただけだとおっしゃっています。世間ではいろいろ言っていたようだけど、世の中にはそういう仏様みたいな方もいるんです」

「よくわかっております」

おえんさんに会ってさしあげてくださいと、おこんは立ち上がった。箕吉もその後に続き、廊下へと踏み出した。

足の裏の冷たい板の感触が、急に箕吉を怖《お》じ気《け》づかせた。

「姉は——」

言いかけて、言葉が切れた。あの顔の腫れ物は、とうとうそのままだったのだろうか。そしてそれを隠すために、最期まで手拭《てぬぐ》いをかぶったままだったのだろうか。

先んじるように、おこんは言った、「きれいな死に顔ですよ。まるで眠っているようで」

おこんに一歩遅れて廊下を歩んでいた箕吉は、思わず足を止めた。「きれいな顔?」

「ええ」おこんは、何を驚いているのかという顔だった。

「瘦《や》せてはいたけれど、とても安らかなお顔です」

「手拭いは――」

「かぶっておられましたけどね、最期まで」おこんの声が湿っぽくなった。「ですけど、その下のお顔はきれいなものでしたよ」

「治ったんでしょうか」

箕吉の問いに、おこんは眉《まゆ》をひそめた。

「治ったっておっしゃいますのは」

「姉の顔の、その」

「おえんさんのお顔がどうかしたんですか」

「何もなかったんですか？」

「何もって……」おこんはつくづくと箕吉の顔を見た。「おえんさんは、最初っから最期まで、目に見えるところに病を持っていたわけじゃありませんでしたよ。そのことは、ご家族の皆さんもご存じだと思っていましたけど」

箕吉は頭がふらつくような気がした。

「あたしがおそばについたばかりのころ――あれはたまたま、少し頭のはっきりしていた時だったんでしょうね、おえんさんは、あたしは世間様に顔向けできないような悪いことをしたから、罰として手拭いをかぶってるんだ、だからこれを取らないでくれと言いました。そのことについてはおかみさんからもよくよく言われてましたので、あたしははいと承知しました。ですから、手拭いを取ったのは、おえんさんが息をしていないとわかった後のことですよ。それがどんな悪いことだったのか。わたしらにはわかりませんが、あの安らかな顔を見ていると、もうその罰もすっかり終わったんじゃありませんかね」

そうですかと、箕吉はやっと言った。

あの顔の腫れ物は、では何だったのだろう。自分が目にした、あの無惨な顔は。あれはあのときのおえんと箕吉だけに見えたものだったとでもいうのだろうか。

そういう罰だというのだろうか。

「こちらで」

おこんの案内に従って、薄暗い廊下を箕吉は進んだ。先に立つおこんが突き当たりの唐紙を開けようとしている。そのとき、箕吉の鼻先に、ひときわ強く梅の香りがした。

彼ははっとまばたきをした。すぐ傍らを、やわらかな衣擦《きぬず》れの音をたてて、まだ少女のような若い娘がすり抜けてゆく気配を感じた。

「あの……」

おこんが唐紙に手をかけたまま、箕吉の方を見ている。箕吉は振り返り、誰もいない、よく磨き込まれた廊下を眺め渡した。

「いえ、すみません」

そう言って、唐紙の内側にそっと足を踏み入れた。

おえんは北枕で寝かされている。身体を覆った夜着はほとんど持ち上がっていない。ペったりとしている。

枕に支えられ、わずかに持ち上がったその顔には、真っ白な布がかかっている。箕吉はがくりと膝《ひざ》を折り、おえんの布団の脇に座った。おこんが丁寧に合掌してから、おえんの顔の覆いを取り除《の》けた。

窓の外の雨の音が、急に強くなった。

「姉さん」と、箕吉は呼んだ。

おえんは微笑していた。その顔は、娘時代の働き者の笑顔そのままに、清らかに明るかった。どんな不吉な影も、その頬に落ちてはいなかった。十五年の歳月が音もなく飛び去る、その気配をはっきりと感じて、箕吉も思わず微笑んだ。

梅の香が漂ってくる。誰かが、あの廊下を軽い足取りでひたひたと遠ざかってゆく。箕吉にはその音がはっきりと聞こえたが、探してもその姿を見ることはもうできないのだとわかっていたから、ただ黙っておえんの手を取り、そっと握りしめるだけであった。

安達家の鬼

お義母《かあ》さまが亡くなったとき、折からひどい夕立で、道にも庭にも、そこらじゅうに礫《つぶて》を打ち付けるような音が響きわたっていました。そのせいで、目を閉じる寸前に何かおっしゃったのに、その言葉を聞き取ることができませんでした。わたしの耳には、どうも人の名前を呼んだように聞こえましたけれども、確かではありません。それにしても眠るような安らかなご最期で、口元はかすかに微笑んでおられました。

半刻《はんとき》ほど前から枕頭《ちんとう》に詰めていてくださいました良庵《りょうあん》先生が、つるりと禿《は》げあがった頭をほんの少しかしげて、お優しい声で、ご隠居さまはご臨終でございますよと、わたしと、わたしのすぐ脇に正座しておりました、主人《あるじ》の富太郎におっしゃいました。その日はわたしども二人、朝からずっとお義母さまのそばにおりまして、言葉を交わすこともなく、富太郎は時折じっと、お義母さまの顔をのぞき込んでは、思い詰めたような目ばかりをしておりました。その顔がやっと、しわしわと崩れました。

「安らかな、良いお顔ですな」

お義母さまの両手を胸の上で組み合わせながら、先生はおっしゃいました。

「何か、楽しい行事を待ち受けている娘さんのようだ。そうは思いませんか」

先生のおっしゃる通りでした。わたしは、お義母さまの表情につり込まれて、ふと微笑んでしまいました。そうして、さっき聞き取り損ねた最期の言葉が、きっとお義母さまの〝鬼〟の名前だったのだ、ああとうとうちゃんと名前を教えてはいただけなかった――などと、脈絡もなく考えていると、じんわりと涙が出てきました。

「長かったなあ」富太郎が呟《つぶや》きました。

「おふくろはでも、満足しているようだなぁ、ねえおまえ」

富太郎は、慰めを求めるようにわたしの腕に手を置きました。わたしは夫の手の甲に自分の手を重ね合わせて、うなずいて答えました。

「ええ、お幸せな一生でございましたよ、きっとね」


わたしがこの笹屋に嫁いできたのは、三年前の春のことです。そのころにはすでに、お義母さまはだいぶ身体が弱っておられて、一年のうちの半分ほどは、寝たり起きたりの暮らしをなすっていました。おそばについていたのは十五ばかりのお玉という小女《こおんな》で、これが小柄ではしっこそうな顔つきの、なかなか勝ち気な娘でしたが、そのはきはきとしたところがかえって病人の気に障るようで、お義母さまにはお小言ばかりをいただいている有様でございました。

元気者の常で、お玉の方も病人の世話には気がまわりかねるところもあり、そこへもってきて叱られてばかりでは、やる気も失《う》せるのでしょう、嫁入りから半年ほどして、今日からはお義母さまの世話はわたしがしますからと言い置くと、お玉は手放しで喜んだものです。ああ、せいせいしたと、両手を頭の上に伸ばして、それはもう本当に嬉《うれ》しそうに大声で申しました。

もちろんこれは、お玉のような女中の立場で、お店《たな》の主人の嫁に向かって放つ言葉ではございません。けれども、その当時はわたしも十八と歳が近く、しかも、嫁入り前には笹屋と商いで付き合いの深い紙問屋の松竹堂で女中をしていた身の上であるということを、お玉はよくよく承知しておりました。わたしは、女中上がりであることを取り柄として嫁いできた、少しばかり変わった嫁だったのです。ですからお玉としては、なぁんだ仲間じゃないかというところだったのでございましょう。遠慮のない口のきき方でした。そういえば、お玉はとうとう、人前ではともかく、他の人びとの耳のないところでは、わたしを〝おかみさん〟と呼ぶことはありませんでした。

「一日中薬くさい座敷にこもってさ、年寄りの相手なんて、気がくさくさしちゃって。あんたはこれからたいへんねえ。お気の毒」

お玉はそうずけずけと言い放って、くちびるの端に何か棘《とげ》のあるものを引っかけるようにして笑ったものです。

笹屋は筆と墨を商う小さなお店ですが、少しばかりの地所を持っていることもあり、内証は豊かな家でございます。屋敷も広く、同じ敷地のなかに、店と家の者と住み込みの奉公人たちが暮らす母屋のほかに、ささやかな中庭を挟んで、十五坪ばかりの離れが建てられておりまして、お義母さまはそこに住んでいたのです。わたしとお玉はそこで、ちょうどお義母さまの午睡どきに、寝所の隣の控えの間で話をしておりましたので、どのようにあからさまな口のききようをしても、大きな声さえ出さなければ、ほかの人びとに聞き咎《とが》められる気遣いはありませんでした。ですからお玉は、たいそうむき出しでございました。

「ねえあんた、松竹堂さんじゃ、病気の先代のお世話を、五年もやってたんだって？」

確かにそのとおりでした。松竹堂の先代ご主人は中風を病んで長く、わたしは十の歳に子守奉公にあがりましたが、赤子の手が離れると、続いて先代のお世話をするようになったのでした。とてもわがままな病人で、赤子よりも手がかかり、ずいぶんと困らされたものでした。

その先代は、わたしが嫁ぐほんの三月《みつき》前に亡くなっていました。というよりも、先代がようよう亡くなったので、それまで子守奉公と病人の世話しかしたことがなかったわたしの使い道にぽっかりと空きが出て、そこへ笹屋からの縁談が舞い込んだ――というのが順序でございます。

手の空いた女中にお暇を出すのではなく、折良く降ってきた縁談を与える――というのも、ふつうに考えればおかしな話でございます。実のところわたしも、松竹堂の旦那《だんな》さまとおかみさんから初めてお話を聞かされたときには、狐につままれたような気分でした。先ほども申しましたように笹屋は豊かなお店ですから、わたしのような身の上の者にはたいそうな玉の輿《こし》です。笹屋のご主人が器量好みで——ということならまだしも、わたしは笹屋のご主人のお顔も人となりも存じませんでしたし、だいいち、そこまで見てくれに恵まれた娘でもありません。

筋の通らない縁談に、いっそ怯《おび》えたようなわたしの顔を、松竹堂の旦那さまは、苦笑いしながらながめておられました。おかみさんはてきぱきと、この縁談の本当の〝中身〟についてうち明けてくださいました。

「笹屋の旦那の富太郎さんは今年三十歳なのですよ。だけどいまだに独り身で、嫁を迎えていなさらない。べつだん、女嫌いというわけではないのよ。若いころには、うちの旦那さまとご一緒に、さんざっぱら悪所通いもした方なのだものね」

松竹堂の旦那さまは、ますます苦笑いを深めました。

「笹屋にはご隠居さんがおられます。富太郎さんのお母さんだけれどね、この方が身体が弱くて、まあ歳も歳だから、半分は病人のようなものなんだけれど、でも気ばかりはしゃっきりしていてね、富太郎さんは頭があがらないんだっていうのよ。なにしろ笹屋は富太郎さんのご両親がつくったお店だからね」

笹屋の先代のご主人——つまり富太郎の父親は、富太郎が二十五の歳に頓死《とんし》しておりますが、商いについてはたいそう目端が利いた人だったそうでございます。これはお義母さまもそうおっしゃっていましたから、間違いのないところでしょう。あたしは一度もあの人に恋をしたことはなかったけれど、あの人の仕事ぶりには惚《ほ》れていた——お義母さまがわたしにきっぱりとそうおっしゃったのは、一度や二度ではございませんでした。

「二代目の富太郎さんも、父親譲りで商いには明るいから、笹屋はまだまだ大きくなるだろうよ。そんなお店の主人のところに、どうして嫁の来手がないはずもない。実際、縁談は富太郎さんが埋もれてしまうほどに来るんだよ。だけれどね、ここが富太郎さんの気の小さいところというか——」

松竹堂の旦那さまは顎《あご》を撫《な》でました。

「まあ、母親想いと言った方がいいかねえ。とにかく富太郎さんは、いい縁談ほど気が向かないというのだね。いい縁談というのは、そら何だ、相手が大店の娘だとか、貧乏だが格のある御家人の娘だとか、商い仲間の娘だとか、いろいろあるだろう？　富太郎さんは、そういうのは駄目だというのだよ。なぜって、そういう高いところからもらった嫁は、ご隠居さんを軽んじて、心から大事にしないだろうからって。うちの親は成り上がりだ、働きに働き抜いてお店をこれまでにして、やっとのんびりしようかという晩年になって、格上の家からもらった嫁に遠慮しいしい暮らすのでは可哀想だ、だから嫁は名もない家から、いっそ奉公人たちのなかから選ぶことにする——と、こういうのだね」

「だけれど、今の今、笹屋さんに奉公している女中をおかみにするわけにはいかない」おかみさんは厳しく首を振ります。「そんなことをしたら、お店のなかの秩序が乱れます。何としても、嫁はお店の外からもらう必要があるんですよ」

おわかりかい、だからおまえのような娘がぴったりなんだよと、お二人は口をそろえておっしゃるのでした。

「それにおまえは病人の世話に慣れている。うちではよく務めてくれたものね。笹屋さんでも、ご隠居さんはだいぶ女中の手を焼かせているようだから、あんた嫁に入ったら、姑《しゅうとめ》さんの世話をやいてあげるといいだろうよ。富太郎さんは、そういう心がけの嫁を求めているんだから」

なるほど、こういう縁談なのでございました。嫁は庭先からもらえ――という格言もあるくらいですから、よく聞いてみれば不思議な話でもございません。ただ、富太郎という人は、確かに親孝行かもしれませんが、ずいぶんと物事を決めてかかる人だなと、当時わたしは思ったものです。お嬢様育ちの娘さんだって、それだけですぐに、権高な嫁になるとは限らないでしょう。そのあたりは、富太郎さん次第ということが大きいでしょうに。まあ、それだけ真面目な気質《たち》だということなのですから、人となりとしては悪くはないとも思いましたけれども……。

それにわたしには、たとえ笹屋富太郎のこの考え方にうなずけないところがあったとしても、この縁談を断るなどという道はありませんでした。そんなことをすれば、松竹堂のご主人夫婦に背くことになります。早くに親を亡くして親戚《しんせき》をたらいまわしにされて育ったわたしにとっては、子守奉公時代から長年養い育ててくださすった松竹堂は、親よりも有り難い存在でした。それに、さしあたってほかに想う人もなく、女はどうせいつかは嫁に行くもの、それならば、女中育ちの嫁がいいと望んでくれる方ならば、わたしの方も気が楽だということもございました。なに、最初《はな》から嫁ではなく、女中として奉公先を代わるだけだ——と思うなら、決断も何も必要はありませんでした。

　こうしてわたしは笹屋に縁づいたのでした。内々の祝いの席も設けませんでした。さんざん良縁を袖《そで》にしておいて、わざわざ女中あがりの嫁などもらって、恥ずかしいことときわまりない、派手派手しく祝言をあげたりお披露目をするなどもってのほかだと、笹屋の親戚筋から強硬な反対があったということを、後になって、家の奉公人たちから教えてもらいました。もちろんわたしのことも、笹屋の嫁とは認めないというのでした。

　言われてみればわたしは、嫁に来て以来、親戚への挨拶廻《あいさつまわ》りなどしたことは、一度もなかったのでした。身内とか家族というものを持った覚えのないわたしは、このあたりのことをまったくうっかりしておりました。あわてて富太郎に謝りますと、

「なぁに、こういう嫁取りを考えたときから、この手のごたごたは覚悟していた。付き合いとは名ばかりで、あの人たちには迷惑をかけられることの方が多かったのだから、かまわないんだよ。私は商人《あきんど》なんだから、自分たちの得になることと見ると寄ってくる親戚筋なんぞよりも、寄り合い仲間の方が大切だ」

　夫はそんなことを言って、慰めてくれたのでございました。

　こんな言葉からもわかるとおり、富太郎は優しくきちんとした人で、わたしは、思いがけないほど良い夫に嫁いだことになったのでした。頭がよくて、ものをよく考える人にあ

りがちなことで、少しばかり融通がきかなかったり、言い出したらきかなかったりする面もありましたが、それはわたしの方で折れて合わせるのも造作のないことでした。そもそも商いのことはわたしにはわかりませんから、富太郎の考えに反対するような事はあり得ませんし、内々のことで富太郎がわたしに意見するようなことがあっても、それはごくごく些細《ささい》なこと――おまえは枕が低すぎる、それでは首に血が溜《た》まって身体によくないから もっと高くしなさいとか、冬瓜《とうがん》を炊くときには醬油《しょうゆ》を使いすぎてはいけないとか、寒いからといって厚着は駄目だとか――そんな事どもでしたから、はいはいと合わせるのも易しい仕事だったのです。

前置きのお話に手間取りましたが、こうして半年ほど経ち、内々の仕切りに慣れてから、ようようわたしは、お玉の手から、お義母《かあ》さまのお世話をする仕事を取り上げることにとりかかったのでした。もちろんそれまでにも、嫁としては毎日のように離れに足を運んでご機嫌うかがいをしておりましたが、おそばにぴったりとついていたことはありませんでしたから、勝手はわかりません。わたしとしても、さあしっかりお仕えしようという気持ちと、わたしで務まるかしらという不安と、半々ぐらいが正直なところでございました。

先ほどもお話したように、お玉の遠慮のなさの根は、わたしの縁づいてきた事情のなかにありました。お玉はそれを、呆《あき》れるほどよく聞き知っておりました。ですからわたしに対しても、まったくはばかるところがなかったわけでございます。

奉公人は、お店という船を漕《こ》ぐ櫂《かい》ですが、けっして舵《かじ》はとりません。船の先行きを決めねばならぬ船頭ならば、水流を読み周りの景色を見て正しい船道を選ばねばなりませんが、ただ櫂としてひたすらに水をかくだけならば、そんな気遣いは要りません。それだけに、船のなかのことはよく見えます。見る暇がたくさんあるからでございます。お玉はその意味で、本当に、目先ばかりはよく見える櫂でございました。

「あたしは旦那《だんな》さまのお考えがよくわからないなあ。あんな婆《ばばあ》の気を兼ねて、いいところのお嬢さんの縁談をはねつけて、あんたなんかをもらうなんて」

毒舌ですが、もっともな申し状なので、わたしとしても何とも申せません。ただ、お義母さまを「婆」と呼ぶのは聞き捨てなりませんから、叱りました。でもお玉は笑っているだけです。

「どっちにしろ、あたしはこれでやっとあの辛気くさい座敷から逃げられたんだから、あんたに感謝しなくちゃならないんだけどさ。まあ、せいぜいしっかり働くことだね」

お玉が廊下を廻って母屋の方へ去ってしまってから、わたしはようよう胸をさすって、お義母さまの寝間に行こうと立ち上がりました。すると驚いたことに、障子がからりと開いて、当のお義母さまがお顔をのぞかせたのでした。

「まあまあ、おまえは言われ放題だね」

お義母さまは笑っておられました。

「お玉なんぞ、放っておおき。そのうち罰が当たるから」

それだけ言って、またぴしゃりと障子を閉めてしまわれました。わたしはまたぞろ、狐につままれたか狸にばかされたか、ぽかんとして立ちすくんでおりました。

お義母さまは、けっして気むずかしい病人ではありませんでした。扱いにくい「婆」でもありませんでした。おそばにお仕えするようになって、わたしはすぐに、それに気づきました。

松竹堂の先代のご主人は、手のかかる病人でした。中風で身体が動かないこともあり、それに対して本人が意地が焼けることもあり、また最晩年には、いくらかですが、いわゆる色呆《いろぼ》けの気配が見えて、年若いわたしは時には泣くような目に遭わされて、誰にも言えずにこらえたことも、実はあったのでございました。

それに比べたら、お義母さまはまあ仏様のように優しかったのです。こうしてほしい、ああしてほしい、あれはやめてほしいといったご指示もはっきりとしていてわかりやすく、言葉に裏を含むようなこともありません。お義母さまが「ひと寝入りするからしばらく放っておいてちょうだい」とおっしゃれば、それは文字通りその意味でした。「少しおしゃべりをしようかね」と言えば、そのとおりの意味でした。「おまえのお針の腕前をみてあげようか」と言えば、わたしは針箱とくけ台を持って参じれば良いのでした。

お義母さまは昔話がお好きでした。富太郎が生まれたころのこと、夫婦でお店を興すまでの苦労——親の顔を知らないわたしは、親の世代の昔話を親しく聞く機会にも恵まれていませんでしたから、お義母さまのお話は、珍しく面白いものでした。年寄りは同じ話ばかり繰り返すから退屈で嫌いだと言う人は多いようですが、わたしは繰り返しに飽きるほど身内の年長者の話に触れたことがありませんでしたから、本当に楽しかったのです。

ひと月も経つと、愉快な話には大いに笑い、怖い目に遭ったり、のるかそるかの商いをしたりという話にはハラハラするわたしが、どうやらお追従ではなく、本気で楽しんでお付き合いしているのだと、お義母さまはお察しになったのでしょう、あるとき、二人で浴衣《ゆか》《た》を仕立てている折に、ふと針を休めて、しみじみとしたお顔でわたしを眺められると、おっしゃいました。

「おまえは、ずいぶんと淋《さび》しい暮らしをしてきたのだね」

わたしは少し考えてから、正直なところ、ずっと独りぼっちだったたから、淋しいを淋しいとも感じなかったのです――とお答えしました。

「そのようだねえ」

お義母さまは深くうなずかれました。

「子守奉公と病人の世話しかしないで十八になってしまったのだもの、無理もないね。世間というものを、おまえはまったく知らないんだね」

それからちょっと目をしばたたいて、

「でもおまえ、誰か好きな人ができたことはなかったの？」

と、とても真面目にお訊《なず》ねになりました。

わたしは驚いてしまいました。答えに詰まったのは当たり前のことです。お義母さまがわたしのお義母さまである所以《ゆえん》は、わたしが富太郎の妻であるからなのです。嫁いでくる前に、ほかに好きな人がおりましたなどと、ぬけぬけと申し上げられるわけはありません。

でも、幸か不幸かわたしは、まったく恋というものを知りませんでした。病床から動くことのできない松竹堂の先代と一緒に、わたしも縛りつけられていた娘時代でした。今でこそ女中奉公の若い娘が気楽に手に取る黄表紙なども、そのころはまだそうそう簡単には手に入りませんでしたから、おはなしのなかでさえ、男女の心の機微のことなど、知りようがなかったのでございます。

「まあ、好きな人ができたこともなかったのだね」

お義母さまは、なぜかしらわたしの心を見抜いて、先回りしてそうおっしゃいました。

「そうじゃないかと思ってはいたけれど」

不思議なお言葉でした。わたしは思わず、なぜでございますか？　とお訊ねしました。

お義母さまは少し笑って、

「おまえはまだ、富太郎のことも、嫌いではないけれど、恋はしていないのだね」とおっしゃいました。「女にとっては、妻になるというのは仕事のようなものだから、おまえは奉公の続きのつもりで、富太郎と夫婦になっているのだろうね」

それがいけないというわけではないよと、わたしを慰めるように言葉を足しました。

「だけどそれは、本当は淋しいことなのだよ。おまえにも、恋のひとつもさせてあげたいものだけど、これぱかりは他人にはどうしようもないものだからね」

何か考え込んでいるようなお顔でした。わたしは、さっきのお言葉が気になっていたので、しつこくもう一度うかがいました。どうしてお義母さまは、わたしが恋を知らないとおわかりになったのですか？

お義母さまは、ちょっと座敷のなかを見回すような仕草をなさいました。それから、ご自分のすぐ隣に目をやって、誰もいないその畳の上にちょっと微笑み、

「だっておまえには、何も見えないようだし、何も感じられないようだもの」

ますます不思議なお答えでした。わたしがさらに問いかけようとすると、お義母さまはそれを遮るように、少しくたびれたから、お茶をいれておくれ、甘いものが食べたいねなどとおっしゃったのでした。

そのときは、それきりでした。合点のいかないお話でしたが、些細なことでしたから、わたしも長くは覚えていませんでした。

それから数日後でしたでしょうか。今では台所女中として働いているお玉に、こんなことを尋ねられました。

「ねえ、ご隠居さんの座敷には、変な匂いがするでしょう？　なんだか獣みたいな臭い匂いなのよ。あたしはもうあれが嫌で嫌で、身体にも染みつくような気がして辛抱たまらなかった。あんたもあれ、悩まされているのじゃない？」

わたしは怪訝《けげん》に思いました。そんな匂いなど、感じたことは一度もなかったからです。正直にそう言うと、お玉は横目でわたしを睨《にら》みました。

「あんたって、そうやってすぐに良い子ぶるのね。そりゃあ日によって強い弱いはあるけれど、とりわけ雨の日なんか、ぷんぷんと座敷じゅう匂ってるのに、気づかないわけがないじゃないの。あれはきっと、婆の身体の匂いよ。年寄りは、どんなに身ぎれいにしてたって、身体が臭くなるんだから」

わたしは繰り返し、そんな匂いなどしないと言いました。お玉は憎々しげに言い捨てるだけでした。

「ふん、猫かぶりめ」

理不尽な言いがかりでした。さすがにわたしも腹が立ち、気にもなって、自分の胸ひとつにおさめておくことができませんでした。これは言いつけ口だ——とわかりながらも、お義母《かあ》さまにお話ししてしまいました。

するとお義母さまは、朗らかな声でおっしゃったのです。

「あれまあ、そうかね。だけどいいんだよ、その臭い臭い匂いは、お玉にだけ匂うものだからね」

そしてまた、お義母さまとわたしのほかには誰もいない座敷のなかなのに、ご自分のすぐ後ろを肩越しに振り返って、にっこりと同意を求めるようにうなずきかけたのでした。

そのとき初めて、わたしは少しばかり薄気味悪くなりました。心の片隅に——もしかしたら、お義母さまは、少しばかりおつむりに病が入っているのではないかしら、という疑いが芽生えてしまったのでした。

そんなふうにして、お義母さまとのあいだに、少なくともわたしの側には、低いけれど確かな垣根のようなものができてしまって、また一月ほど過ごしたでしょうか。折から冬のいちばん寒いころでした。その年江戸は雪が多く、笹屋の中庭のささやかな植木や立木が、すっぽりと白い衣をかぶってしまうこともたびたびでした。

ちょうどそのころ、富太郎のところには、一人の新しい商い仲間が出入りするようになっていました。朱肉や唐墨を扱う職人で、同じ職人仲間を何人か束ねているという頭だということでした。富太郎と同じくらいの年格好の、たいそう切れ者風の物言いをする、様子のいい人で、名は佐次郎といいました。お玉など、この人が訪ねてくると、のぼせあがって大騒ぎをしたものでした。雪の上に、おたまさじろうの相合い傘が描いてあったりして、それを見つけた番頭さんが、苦虫を嚙《か》みつぶすような顔をしていたことを覚えています。

ご存じと思いますが、江戸では墨と筆と言えば日本橋の古梅園が名店です。とりわけこの墨は、使い終えて洗った筆を文机《ふづくえ》に乗せておいてもまだ薫る――というくらいに、芳《かぐわ》しいことで有名でした。それだけに、もちろん相当の売値がついています。

佐次郎は、自分たち独自の工夫でこしらえた新しい墨は、この古梅園の看板商品に負けず劣らずよく薫る、それを安く卸すから、笹屋で売り出してはくれないか――という話を持ち込んできたのでした。

富太郎は乗り気のようでした。何度も申しますが、わたしは商いのことはよく存じません。でも、一度富太郎に見せてもらい、実際にこの手で硯《すずり》ですってみた佐次郎の墨は、確かに薫り高い品物でした。

取引の話は、トントン拍子でまとまるような気配でした。いつもは慎重な番頭さんも、佐次郎の熱意にほだされ、さわやかな弁舌にも魅せられたのか、ほとんど口をさしはさみません。そんな折、富太郎がわたしに、今日は佐次郎さんをおふくろに引き合わせるから、そのつもりでいてくれと言ってきました。

連日の雪と底冷えで、お義母さまは風邪をお召しになり、床についておられました。わたしは、今はとてもお客様にお目にかかることはできませんと訴えました。ところが富太郎は、

「わかっているよ。おふくろは寝床に横になったままでいいんだ。ただ中庭に向いた障子を開けておいておくれ。ほんの少しのあいだでいいんだ。そうしたら庭越しに、こちらの座敷から、佐次郎さんの顔を見てもらうことができるから」

そして富太郎はあっさりと、私は今までも、おふくろがうんとうなずかない相手とは、商いをしたことはないのだよと言うのでした。なるほどこれが、富太郎がお義母さまに頭があがらないということなのだと、今さらながら悟ったように、わたしは思いました。

さて、午過《ひるす》ぎになって、佐次郎は年かさの仲間を一人連れてやって来ました。申し合わせていたとおり、富太郎は彼らを中庭越しに離れの見える座敷に通しましたので、わたしは頃合いを見て障子を開けました。お義母さまは、富太郎からすでに話を聞いているらしく、とてももの慣れた様子で寝床の上で半身を起こし、お客人のいる座敷の方を、熱心に

見つめておられました。

　離れの側から見ると、わたしの背丈ほどの椿の木が、しきりと談笑する富太郎と佐次郎の、ちょうど真ん中に立ちふさがっていました。朝方一度雪を払い落としたのですが、降り続くぼたん雪のために、椿の木はまた真っ白な衣をすっぽりとかぶったようになっていました。中庭の地面も、綿を敷き詰めたように真っ白で、凍《い》てつく寒ささえ差し引けば、うっとりするような美しい冬の庭でした。

　何かの拍子に、話題が庭のことにふれたのでしょうか、富太郎が中庭を手で指し示し、佐次郎と彼の連れが中庭の方に顔を向けました。そのとき、お義母さまのすぐ脇で火鉢の火をかきたてていたわたしは、お義母さまが身を乗り出すのに気づいて目を上げました。

　中庭越しに、佐次郎の顔が、見る見るうちに雪にも負けないほど真っ白になってゆくのが見て取れました。その目は驚きに見開かれていました。彼は激しく首をめぐらすと、富太郎と連れの年かさの男の方へ、何かをしきりと話しかけました。富太郎はびっくりしたようにちょっと顎《あご》を引き、年かさの男も目をしばたたかせています。

　佐次郎は中腰になると、中庭の方へぐいと腕を突き出しました。こちらを指さしています。お義母さまのことだろうか、わたしだろうか、いずれにしても人を指さすなんて不躾《ぶしつけ》なことだといぶかって、わたしははっと気づきました。

　佐次郎は空《くう》を指さしているのです。身体も顔も目も腕も指も、確かにお義母さまのこの座敷に向けられていますが、その指先は何もない、座敷のなかのただの空なのです。それでもわたしは、庭になにかいるのかと、急いで立ち上がって障子に手をかけ、見おろしました。庭一面に積もった雪には、鳥の足跡ひとつ見あたりません。むろん、誰がいるわけもないのでした。

佐次郎の、あわてふためいた声が聞こえました。

「おかしいなあ、目の迷いだろうか。確かに見たと思ったんだが――」

富太郎が笑顔で何かを言い返して、連れの男も笑ったので、佐次郎も不承不承という様子で口元を笑わせました。でもわたしには、彼がひどく怯《おび》えているように見えました。

「もういいよ、障子を閉めておくれ」

お義母さまに声をかけられて、わたしは振り返りました。お義母さまは、何かを悟ったように何度も何度もうなずいておられました。

「ああ、どうやら、あの男にはえらいものが見えたようだね。今度の商いの話はとりやめだよ」

どうしてですかと、わたしは尋ねました。寒さのせいだけでなく、背中がぞくぞくとして、気がつくと障子の桟にしっかりとつかまっておりました。わたしはとても恐ろしかったのです。

お義母さまは、そんなわたしをしばらく見つめておられましたが、やがて微笑して、それはね、今度ゆっくりと話してあげよう、あたしの風邪が抜けたらねえと言ったきり、枕に頭をつけて横になってしまわれました。

座敷のなかが静まり返り、お義母さまのやわらかな寝息が聞こえてきても、わたしは中庭に面した障子にぺたりと背中をつけたまま、動き出すことができませんでした。目には見えない誰かが、お義母さまとわたしのほかに、座敷のなかに潜んでいる――だけどどうしてお義母さまは怖がらないのだろう、お義母さまはその〝何か〟の正体をご存じなのだろうか――そんなようなことを、閉じこめられたネズミのように、ぐるぐると考えておりました。すべては気の迷いだ、お義母さまのさっきの言葉は、少しばかりわたしに意地悪をなさろうと口にされたもので、深い意味などないのだと、無理にも理屈をつけて自分に言い聞かせるのですが、それではあの、つい今しがた目にした、佐次郎の恐怖に引きつった顔は何だったのだろうかと、また考えがそこへ戻ってしまいます。

結局わたしは、座敷のなかを通り抜けることができず、背中側の障子を開けると、雪の積もった中庭へ降りて、大急ぎでそこを横切り、反対側の座敷へと逃げ出したのでした。向こう側の座敷への上がり口で振り返ってみると、真綿のような雪の上には、わたしの足跡がひと組残っているばかりです。やっぱり誰もいないのだ――急《せ》かれるような怖さで息を切らしていたわたしは、そこで大きくため息をつきました。

そのとき、出し抜けに椿の木からどさりと雪のかたまりが落ちて、いっそ黒に近いほど濃い緑の葉をつけた枝がむき出しになりました。わたしは文字通り飛び上がり、もう後も見ずに、座敷へと駆け上がったのでありました。

お義母さまの言葉通り、佐次郎との取引の話は沙汰《さた》やみとなりました。富太郎は、おふくろがうんと言わなかったからねというだけで、とりたてて説明を加えてはくれませんでした。もっとも、佐次郎が笹屋に出入りしなくなるということを知って、お玉が台所で、主人である富太郎のことをさんざんに罵《ののし》り、彼女としてはぬかったことに、それを番頭さんに聞き咎《とが》められて、さんざんに叱られるというおまけがついたのは、わたしにとっては少しばかり痛快なことでした。

お義母《かあ》さまは約束を守る方でした。お風邪が抜けて元気になると、わたしを座敷に呼び寄せられ、話して聞かせてくだすったのです。

お義母さまが臥《ふ》せっておられるあいだの何日か、離れの座敷に通うことが、わたしは怖くて怖くてなりませんでした。ですから、いよいよお義母さまがうち明け話をしてくださろうという段になると、何か救われたような気がしたものでございます。はっきりとわからないことで怖がっているよりも、どんな恐ろしいことでも、あからさまに知ることの方が数段ましだと、わたしなりに考えたものでありました。

お義母さまは、お話を始めるその前に、おまえはこの座敷のなかに何も匂わないか、何も聞こえないか、何も見えないかと、今まで一度も見せたことのない、きついお顔でお尋ねになりました。

依然として、わたしには何も見えず、何も聞こえず、何も匂いませんでした。

「そうかい、それなら教えてあげよう」

お義母さまは、厳しくくちびるを引き締めておっしゃいました。

「この離れの、この座敷のわたしのそばにはね、〝鬼〟が棲《す》んでいるのだよ」

それはもう三十数年も昔のこと――お義母さまが十六の歳の出来事だったそうでございます。

そのころお義母さまは、日本橋通町の「上洲屋《じょうしゅうや》」という呉服問屋で女中奉公をしておられました。

実はお義母さまは、その上洲屋の主人が、住み込みの女中に手をつけて生ませた子供だったのだそうでございます。お義母さまのお母さまは人目に立つ器量よしで知られていたそうでございますが、それが幸《さち》を呼ばず、かえってお店《たな》の主人の悪心を呼び覚ましてしまったということだったのでしょう。女というのは、どう転んでも生きにくいようにできているのだと、お義母さまは笑っておっしゃいました。

「それに、そんな目に遭ったのは、わたしの母ばかりではなかったんだよ。なにしろ上洲屋のご主人は、見境のない女好きだったからね。わたしのほかにも、外腹に生ませた子供が男の子ばかり三人もいた。お内儀《かみ》さんとのあいだにも男の子が一人いたので、あとあと跡取りのことで揉《も》めに揉めて、それが祟《たた》って、結局は次の代で身代をつぶすことになってしまったのだけれど、まあ、それはあたしの身の上話とは直《じか》に関わりのないことだから、よしとしよう」

お義母さまのお母さまは、お義母さまを産み落としてすぐに、産褥熱《さんじょくねつ》で亡くなられたそうです。上洲屋の主人は、なにしろそういう行状の人ですから、遊びで手をつけた女中の子供を慈しむ心など、ひとかけらも持ち合わせてはおりません。お義母さまは女中頭に預けられ、ゆくゆくはこのお店の使用人にしようということで育てられました。つまりお義母さまは、赤子の時に母親を失い、父親はいないも同然で、最初《はな》から邪魔者扱いされていたのです。それでも赤子のころは、本人は何もわかりませんから、まだ良かった。辛《つら》かったのは、幼子《おさなご》になり物心がついてから……。

「また上洲屋のお内儀が悋気《りんき》のきつい人で、女狂いの夫への憎しみを、夫が外腹に生ませた子供たちへぶつけるという、歪《ゆが》んだ仕返しを楽しんでいるようなところがあってね。今になって考えてみれば、あれはあれで可哀想な人だったと思うけれど、なにしろ子供のころのあたしにとっては、閻魔《えんま》様より恐ろしいお内儀さんだったね」

——おまえは米食い虫だ。

上洲屋のお内儀は、よくお義母さまを折檻《せっかん》しては、そう罵ったそうです。

幼子なのですから、働きがないのは当たり前です。育ち盛りの子供ですから、おなかが減るのも当たり前です。それなのに、使用人の分際で何もせずに飯ばかり食うのはけしからんという屁理屈《へりくつ》なのです。三日も四日も食事を与えない、真夏の炎天下に、庭の杭《くい》に犬のように縛りつけて放っておく、真冬でも単衣《ひとえ》の着物しか着せない、湿って腐りかけたような夜着を与える——手をかえ品をかえ、さまざまな意地悪と虐《いじ》めを受けて、お義母さまは育ちました。

「そんな仕打ちを受けながら、どうしてあたしが上洲屋を逃げ出さなかったのか、あんたは不思議にお思いだろう？　あたし自身も、今振り返ってみるとわからないくらいだよ。まあ、狭いお店のなかしか知らずに育っていたからね、逃げ出す、他所《よそ》へ行くということ自体を、頭に思い浮かべるだけの才覚もなかったということなんだろうね」

　それに、お義母さまを育ててくれた女中頭は、けっして優しい母親代わりという人ではなかったけれど、お義母さまのような日陰者がこの世を生き抜いてゆくためには、とにかく働いて働いて働き抜くことだと考えたのでしょう、お義母さまが女中としてお店で重用されるようにと、厳しく仕込んでくれたのだそうです。ですから、十歳を越えるころには、お義母さまはそこらの山出しなんぞよりもずっと気働きのある、立派な女中に育ちあがっていたのでした。

「十六の歳には、あたしはもう、ちょっとした働き手になっていたんだよ」

　お義母さまはそう言って、誇らしげににっこりとされました。

「上洲屋でも、あたしの働きに頼るようになっていた。ちょうど、あたしが一人前になるのと入れ替わるように、女中頭が胸を病んでね、奉公をよしてしまったりしたものだから、なおさらだね。お内儀さんは相変わらず、追い出すよりも近くに置いて虐めることが楽しかったようだけれどね。理由もなく呼びつけられて、火箸《ひばし》でぶたれるようなこともあった。でも、あたしももう大人で、それなりに機転がきくようになっていたから——長年同じことをやっていれば、避け方も逃げ方も身についてくるもんだよ――そうそう酷《ひど》い目にも遭わなくなっていたね」

そのころには、上洲屋の主人は、五十の坂も半ばにさしかかる年代になっていました。歳をとれば、人間気も弱るもので、時折お内儀の目を盗んで、お義母さまに優しい声などかけることもあったそうです。

「さっきも言ったように、外腹の男の子たちがいたり、お内儀とのあいだにできた跡取りがとんだ放蕩三昧《ほうとうざんまい》の穀潰《ごくつぶ》しに育ってしまったりで、気に病むところもあったんだろうね。おまえはしっかり者の良い娘だ、もっと早くにおまえをちゃんと娘として認めてやればよかった――なんて、おかしなことを言い出したりしたもんだった。もちろん、あたしには世迷《よま》い言にしか聞こえなかったけれどね。今さら何を言ってるんだこの年寄りは、やたら気弱になって――というぐらいさ。だけどね、そのうちに、そうやって鼻先で聞き流しているだけじゃ済まなくなってきたんだよ」

上洲屋は、お義母さまの生ませっぱなしの父親である主人の先代が興したお店でしたが、その先代は、元は上州の「桑野」という小さな宿場町の生まれでございました。お店の名前もそこから来ているのです。

「先代はその桑野の町で商人相手の木賃宿をしていた家の次男でね、江戸には、よくあることだけど、食い詰めて出てきたわけだったんだ。ちっぽけな木賃宿でも、長男ならば跡継ぎだけど、次男は最初から余計者だからね。それでまあ、江戸に出て一旗あげたわけだけど、先代にとっては桑野は故郷だろう？　一度は帰りたい、親の墓参りもしたい、残してきた兄にも会いたい——そんなことを口にしながらも、結局一度も果たせずに亡くなってしまったそうなんだよ」

老け込んできて、人生の来し方を振り返ることが多くなってきた上洲屋の主人は、先代の果たせなかったその夢を、ぜひともかなえたいと言い出したのだそうでございます。

「お内儀さんは、うちにいればゴタゴタばかりで嫌だから、逃げ出そうとしてるだけだなんて、また冷たいことを言っていたけどね。まあ、それも半分は当たっていたんだろう」

とにかく、上洲屋の主人は旅支度を整えることになりました。桑野にはもう一族の誰が暮らしているかわからない、そもそも先代の育った木賃宿が今でもあるかどうかもはっきりしない、それでも、闇雲《やみくも》に出かけようとするのです。

「そしてね、あんた、呆《あき》れたことに、その旅にあたしを連れて行くというんだよ」

身の回りの世話をしてもらうためには女中が要る、それにこれは自分の血を引く娘なのだから、一緒に桑野に行くにはこれしかいない——と、身勝手な理屈でございます。

「あたしはね……」

と、お義母さまはじっとわたしの顔を見つめておっしゃいました。

「一緒に行くことを承知した。何故だとお思いかい？」

上洲屋を出る、絶好の機会だと考えたのだそうでございます。

「もちろん、上州くんだりまで行くつもりはなかったさ。年寄りの主人との二人旅ならば、あたしの方が強い。江戸を離れたら、どこか程良い宿場で年寄りを置いてきぼりにして、あたしは逐電《ちくでん》しようと思っていた。旅にはそこそこまとまった金子《きんす》も持ってゆくはずだから、それをいただいてね。むしろ、そちらの方が目的だった。だって、上洲屋を飛び出すだけならばいつだってできるけど、それじゃ悔やしいもの。あたしだけじゃない、おっかさんだって、お手つきになったせいで、ずっと無料《ただ》働きだったんだ。その分、きちんといただくものをいただきたかった。それには、この旅は願ってもない機会だった」

あたしは怖い女なんだよと、お義母《かあ》さまはわたしの目を見て笑いました。わたしは笑い返そうと思いましたが、あまり上手《うま》くゆきませんでした。

「桑野はお蚕と織物で栄えている土地で、そもそもそこに宿場ができたのも、江戸から織物を買い付けにくる商人たちが、頻繁に往来したからだったんだよ。そこで上洲屋でも、表向きは商いのためということで手形をお許しいただいて、その年の春、ちょうど桜が盛りを過ぎたころに、あたしたちは江戸を発《た》ったんだ」

年寄りと女の足であり、急な山道の多い上州路ということもあり、平らに考えれば、たっぷり十日はかかる道のりでした。それでも気がはやるのか、上洲屋の主人は先を急いで旅路を行き、しかも、

「あのひひじじいときたら、金子をしっかり抱いていて離さないんだ。寝ているあいだは枕のなかに隠しているんだもの。それであたしは往路では逃げはぐってしまってね……」

結局、八日と半日ほどで、二人は桑野の宿場に着いたのだそうでございます。

「神仏詣《もう》での人たちが集まるような土地じゃない、もっぱら商人の往来するだけの山中の宿場だからね、そりゃあ殺風景なところだった。ぐるりを山に囲まれて、赤茶けたむき出しの山肌の隙間に、ちっぽけな宿屋が地べたにへばりつくようにして立ち並んでいるだけだ。一日中強い風が吹き荒れていて、口を大きく開けてしゃべると口のなかが土埃《つちぼこり》でじゃりじゃりするんだよ。そういう土地柄のせいか、土地の人たちはみんな地声が大きくてねえ。男の人たちなんか、あたしの目には、みんな山賊のように見えたものさ」

先代の実家である木賃宿は、案の定なくなっていました。もう三十年も前に火を出したとかで、一家離散していたのです。お寺を訪ねて住職に事情を話し、過去帳を見せてもらうと、しきりに気の毒がっていろいろ話してくれましたが、先代の血筋につながる人びとは、もう誰も桑野には暮らしていないということがわかっただけでした。

「住職も、四十歳そこそこぐらいのお歳だったからね。あまりに昔の話なので、わざわざ江戸から、何のあてもなく来られたんですかと尋ねられて、あたしは決まり悪かった」

がっかりしたからでしょうか、一気に旅の疲れが出て、上洲屋の主人は寝込んでしまいました。親切な住職がお寺に泊まることを勧めてくれたので、お義母さまはその言葉に甘え、仕方なしなし、勝手のわからない土地で病人の世話をすることになってしまったのでした。

「桑野は何もないところだった。あるのは風ばかりでね。土地も痩《や》せていて、豆と芋と陸稲《おかぼ》がしょぼしょぼと育っているばかり。桑の木とお蚕さまだけが、あの町の生計《たつき》の綱だったんだね」

一日のうちほんのわずかなあいだは、吹きおろしの強い風が止む時があるのですが、そういう折には、山間の村で蚕を茹《ゆ》でる匂いが漂ってきたそうです。

「絹糸を紡いでとるためには、ぐらぐらに煮えているお湯で繭を茹でなくちゃならないからね。糸が紡ぎ取られて繭のなかの蛹《さなぎ》が出てくると、なんともいえない生臭いような匂いがするんだよ。あれは、一度かいだら忘れられない匂いだね。先代も、その匂いのことをずっと言っていたそうだ」

ところが上洲屋の主人は、その匂いが嫌だ、吐き気がすると、それはたいそうな嫌いようだったそうでございます。旨《うま》い米が食べたい、新鮮な刺身がほしい、江戸に帰りたいと、子供のようにだだをこねる。わがまま放題の年寄りに、お義母さまは本当に腹が立って仕方がなかったけれど、こうなってしまうと逆に見捨てられない——おかしなもんだとおっしゃいました。

「なんだか後生が悪いじゃないか。なにがしか哀れな気もしたしねえ」

ほかでもない、自分のしてきたむちゃくちゃが仇《あだ》になって、江戸のお店《たな》のなかも家族のあいだも上手くゆかない、つまらない。ここらで、父親である先代の生まれ故郷を訪ねて、細々と木賃宿を営んで食いつないでいる親戚《しんせき》筋に、江戸でいっぱしのお店を構えた自分たちの成功を誇り、面目をほどこすこともできたら、さぞかしいい気持ちだろう——それぐらいの手前勝手な心持ちで出かけてきた旅です。それなのに、思うように運ばなければとたんに江戸への里心がついて、お義母さまを顎《あご》で使ってわがままを言う。聞いているわたしの方が腹が立ってくるようなことでしたが、お義母さまは笑うのです。

そうこうするうちに、間の悪いことに、上洲屋の主人は本当に病にかかってしまいました。身体のあちこちに赤い発疹《はっしん》がぽつぽつと浮いて、高い熱を出したのです。

「身体が弱っていたところに、知らない土地の慣れない水と食べ物がいけなかったのかもしれないね」

宿場のお医者さまに診ていただいても、とにかく薬湯を飲ませて寝かせておくしか手はないと首を振るばかり。しかも、これはうつる病だからと、怖い顔をするのです。

「そこへご住職さまもいらしてね、おっしゃるんだよ、誠に気の毒だが、旅の疲れではなく、病となった以上はもうこの寺にいていただくことはできない、安達《あだち》家の方へ移ってもらわないと――この土地の者も、病や怪我で動けなくなると、みんなそうするしきたりだから、と」

安達家というのは、宿場のはずれにある、大きな木戸門を構えた立派な瓦葺《かわらぶ》きの家のことでした。古びてはいますが堂々たる構えのお屋敷なので、お義母さまはてっきり、地主さまか庄屋《しょうや》さまのお住まいなのだとばかり思ったそうです。

「病人や怪我人を、土地のお金持ちのおうちで引き取って面倒見てくださるのか、まあなんて有り難いしきたりだろうって」

ところがとんでもない、急な山道を、病人を抱えて苦労しながらたどりついてみると、安達家は立派なのは構えばかり、なかはがらんどうの空き家だったのでした。

これはいったいどういうことかと、お義母さまは驚きました。お屋敷のなかのおおかたは荒れ果てて、障子も破れ畳もあげられていましたが、母屋のほんの一角だけ、きれいに手入れされていつでも使えるようになっている場所があり、病人用の寝具も夜着も用意してある。台所や厠《かわや》も使うことができる。道具も什器《じゅうき》も、貧しいものだがそれなりにそろえてある。確かにご住職の言うとおり、桑野の土地の人たちも、ここに出入りしている様子がある――

「それでご住職に訊《き》いてみるとね、お話してくださったんだ。安達家というのは、桑野に暮らす者たちの〝穢《けが》れ〟を引き受けてくださる有り難い場所なのだ、とね」

もう五十年以上昔のことになるけれど、安達家はこの桑野の庄屋で、英明な当主が家を仕切り土地を差配していた、地の実りの少ない桑野に、お蚕から絹を取るという生計の道を与えたのも、安達家であるというのです。

「それなのにねえ、三代目の当主のときに、その安達家から、忌まわしい人殺しが出たそうでね……大きなお金持ちの家のことだから、いろいろ争いがあったんだろう。十人近くの人が亡くなって、人殺しはお縄になって首をはねられ、お代官さまから闕《けつ》所のお裁きが下り、安達家は絶えてしまった。空き家になったこのお屋敷は、あまりに忌まわしいので誰も住む者はいなくなって、ずっとほったらかしにされていた」

ところが、安達家が滅びた翌年のことです、山から吹きおろす風が悪疫を運んできて、桑野の土地全体に、流行病《はやりやまい》が猖獗《しょうけつ》をきわめたそうでございます。次々と倒れる人びと、宿場町は閉鎖――お医者さまの数も足らず、窮した当時の庄屋は、空き家になっている安達家に病人たちを集め、まだ健康な者たちをそこへ寄せつけないようにと計らったのでした。つまり、流行病という穢れを、安達家に押し込めてしまったのです。

結果的に、病にかかった人びとの大半は亡くなりましたが、それ以上の流行は防ぐことができました。

「それ以来、桑野の土地の人びとは、重い病にかかった者、流行病にかかった者、怪我や老齢でもう余命いくばくもない者たちは、みんな安達家へ連れてゆくようになったのだそうだよ。もちろん、そこで死ぬのを待つわけだね。そうやって、不幸と穢れはすべて安達家の門の内におさめて、外には出さない――という考え方なのだよ」

ですから、おいおいは心中者や盗人などの罪人も、安達家に押し込めるようになったそうでございます。

「罪の多寡によって日を決めてね、十日なら十日、半月なら半月と安達家に閉じこめておいて、期限が過ぎたら出してやるのだって。もともと、安達家のなかには座敷牢《ろう》があったので――何に使っていたのかは、仏さましかご存じないことだけども――罪人用にはそこを使ったわけだよ。そうやって、罪をなかに落としてくるというわけだよねえ」

ずいぶんと変わったしきたりではありますが、謂《いわ》れを聞いてしまった以上は逆らうわけにも参りません。だいいち、逆らえば土地の人びとに憎まれて、食べ物も水も、薬湯も手に入らなくなってしまうのです。お義母さまは仕方なく、安達家に住み込んで病人の世話をしました。

がらんとして淋《さび》しいけれど、怖いことはなかったと、お義母さまはおっしゃいました。

「人というものがおっかないということは、上洲屋で育って嫌というほどよく知っていたからね。人気《ひとけ》のないのは、少しも怖くなかったよ。穢れを落とす場所だというけれど、落とした忌まわしいものが目に見えてそこらに転がっているわけじゃなし、日ごろ土地の人たちが使っている座敷などは、それなりにきれいに居心地良く整えられていたからね」

安達家の敷地のいちばん小高いところに立つと、毎日夕暮れには、血のように赤い夕日が山の端《は》に沈んでゆくのが、手を伸ばせば届くほど近くに見えたのだそうです。お義母《かあ》さまは、一種壮絶なくらいのその眺めに心を奪われて、飽かず見とれたそうでした。

日が経っても、上洲屋の主人は一向によくなりませんでした。高い熱は下がりましたが、発疹は消えず、日に日に弱ってゆきます。江戸には飛脚をやってあらましは知らせておきましたが、迎えの者もまだ着きません。うとうとと眠るばかりの病人のそばで、話し相手もなく、お義母さまはぼんやりと日を過ごすしかありませんでした。金子もどんどん少なくなってゆきます。

そうこうしているうちに、お義母さまは奇妙なことに気がつきました。今のところ、自分たち以外は誰も押し込められていないはずのこの安達家に、誰か人がいるのです。廊下の端に人影が落ちていたり、深夜に足音が聞こえたり、水汲《みずく》みや洗い物をしていると、誰かの視線を背中に感じる、振り返ると、はっとあわてたように物陰で影が動く——

そしてある夜、とうとうお義母さまは、その人影の正体を見たのでした。

夜半のことでした。小さな火鉢にやかんをかけて、薬湯を煎《せん》じながら、お義母さまはつらうとうとしておりました。と、またぞろ人の気配を感じたのです。ほとんどうなじのあたりで、まるで誰かが背後からお義母さまの方にかがみ込んでいるようでした。薄目を開けてみると、人影が火鉢の脇に落ちています。

お義母さまは、いちにのさんで顔をあげ、わっと声を出して人影の方に振り返りました。

そこには、お義母さまと同じ歳くらいの、痩《や》せこけた男が立っていました。ぼろを着て、髪は乱れ放題でしたが、妙に涼しい目をぱちりと見開いて、お義母さまの顔を見ていたのです。

目と目を合わせてしまって、逆にお義母さまは声をなくしてしまいました。はっと身じろいだ瞬間に、その若い男は消えました。走って消えたのでも隠れたのでもなく、ただ灯火を吹き消すように消えてしまったのです。

「さすがにその夜は眠れなかったよ」

夜が明けると、お義母さまはお寺に走りました。朝のお勤めにかかろうとしていたご住職をつかまえて、息を切らして事の次第をうち明けました。

ご住職は眉《まゆ》を寄せて、ことさらに難しそうな顔をしておられたそうです。でもお義母さまは、ご住職の顔色を読んで、それほど驚いておられないことを察しました。

「和尚《おしょう》さまは何かご存じなのですね？　あの男――物《もの》の怪《け》か幽霊かわかりませんが、あの不思議な男を見かけたことがあるのは、あたしだけではないのですね？」

　と、ご住職の衣の裾《すそ》を押さえて問いつめました。ご住職はお義母さまの勢いに押されるように、渋々うなずいたそうです。

「宿場の者も村の者も、ここ五年ばかり前からでしょうか、安達家に怪しい人影が出没すると訴えております。ただ、その姿は見る者によって違うようです。若い男のときもあれば、女のときもある。子供のときもある。姿が見えず、ただ音や匂いだけのときもあるそうです」

　お義母さまは、すうっと胸が晴れたような気がしたそうでございます。

「慣れない山里暮らしで、ひょっとすると、あたし自身がおかしくなっていたのかもしれないと案じていたんだよ」

　それでは、安達家に出没するものの正体は、いったい何だとお思いになりますか？　お義母さまは尋ねました。

　ご住職は相変わらず難しいお顔のままで、

「しかとは申せませんが」

　と念を押した上で、あれは〝鬼〟だと思うとおっしゃったのでした。

「鬼――あの角のある、恐ろしい物の怪でございますか？　そんなふうには見えませんでしたが」

お義母さまが目にしたのは、どちらかと言えば弱々しい、淋しげな若い男の姿でした。角も生えてはいませんでした。

「赤鬼、青鬼のあの鬼とは違いますでしょう。しかし、この世のモノではないことは違いありません」

「じゃあ、その鬼は、どこから来たんでしょう？　山から降りてきて、安達家に棲《す》み着いているんですか？」

いやいや——と、ご住職は首を振りました。

「あれは恐らく、桑野の人びとが長年にわたって安達家に捨ててきた〝穢れ〟が、時を経て形を成したものでありましょう。つまりは、穢れの化身です。だからこそ、見る者によって姿を変えるのですよ」

気にしなければよい、かまわなければ何も悪さはしませんぞ——ご住職にそう言い聞かされて、お義母さまは安達家に帰りました。

それでも、気にしないことなど、忘れることなど、とうていできるものではありませんでした。

もしもあのご住職の言うとおりならば、自分の目にはなぜ、〝鬼〟があんなふうな気弱そうな若い男の姿に見えたのだろう？　お義母さまはそれを考えてしまいました。そうして、あの男の悲しそうな目の色に、ひどく心を動かされていることを、認めざるをえなかったのです。

「なんだか可哀想だなって……ねえ」

それからも、〝鬼〟はときどきお義母さまの前に姿を現しました。昼でも夜でも、鬼に障りはないようでした。お義母さまは、彼の気配を感じたり、影を目に留めたりしても、もうあわてることはなく、じっと待ちかまえるようになりました。そのうちには、声をかけるようにもなりました。

――ねえ、隠れてないで出ておいでな。あたしはべつに、あんたを追い払ったりしないから。

お義母さまのそういう態度は、〝鬼〟にも通じるようでした。次第に彼は、お義母さまの近くに寄ってくるようになりました。まったく口をきかず、ただ目をしばしばさせているだけで、なんだか野良猫や野良犬をかまっているようでしたが、お義母さまは気にしませんでした。今日はまた一段と風が強いねとか、路銀用に持ってきた金子が底をつきそうだから、あたしは働かなきゃいけない、旅籠《はたご》のどこかで雇ってくれるだろうかとか、ひとり語りに話しかけて、ひとりで返事をしていたそうでございます。

〝鬼〟はそれを、じっと聞いていました。

お義母さまが、山の端に沈む夕日を眺めるのが好きだとわかると、〝鬼〟も好んでその時刻に姿を現し、やがては、並んで夕空を眺めるようにまでなりました。どういう具合なのか、〝鬼〟が一日姿を見せない日があると、お義母さまはそわそわしてしまって、荒れ果てた屋敷のなかを、あちらこちらさまよっては、探し歩いたりするようにまでなりました。

「あたしは――そうだね、〝鬼〟と一緒にいるのが楽しくなっていたんだね」

お義母さまはそう言って、また乙女のようにあえかに微笑まれるのでした。

「だって、今まで誰かとあんなふうに過ごしたことはなかったんだもの」

そんな暮らしのなかで、お義母さまは〝鬼〟に名前を付けてやりました。名前がないと不便だったからです。〝鬼〟はその名が気に入ったのか気に入らないのか、依然として言葉は発しないのでわかりませんでしたが、お義母さまがその名を呼ぶと、すぐに姿を現すようになったそうです。

何という名前ですかと、わたしはお訊《たず》ねしました。お義母さまはうふふと口元を指先で押さえて、

「まあ、それはまだ内緒だね」とおっしゃるのです。まるで、恋人の名を尋ねられたかのようだと、わたしは思いました。

「そのうち教えてあげるよ。今日は駄目だ。なにしろ、あたしがこの話をするのは、あんたが初めてなんだから。最初《はな》から総ざらいというわけにはいかないよ。それに、まだ続きがあるのだよ」

不可思議だけれど、お義母さまにとっては楽しい暮らしを半月ほど続けているうちに、ようやく、江戸の上洲屋から迎えの人びとがやって来たのだというのです。

「ずいぶん手間取ったものだったけれど、あたしはちっとも嬉《うれ》しくなかった。ここでの暮

らしを変えたくない――とっさに考えたのは、そのことだけだった」

お内儀自らのお越しでしたので、お義母《かあ》さまは驚きました。でも、いきなり怒鳴りつけられて杖《つえ》で打たれたので、ははぁ、なるほどと思ったそうでございます。なんとなれば、上洲屋の人びとは、主人が病に倒れたのは、お義母さまのお世話が足りなかったからだというのです。

「おまえにはもう用がない、主人に仇《あだ》をなしたかどでお上に突き出されないだけ幸せだと思うがいい。どこへなりとも行っておしまい！」

こうして、お義母さまはあっけなく放り出されることになりました。

上洲屋の人びとは、桑野の旅籠に一晩休んだだけで、主人を連れ、あわただしく江戸へと戻って行きました。独りになって、お義母さまは思案しました。いったいどうしたら、このまま桑野で〝鬼〟と一緒に暮らしていかれるだろう。一文無しでしたので、暮らしてゆくためにはまず、仕事を見つけなければなりません。いや、それよりも何よりも、桑野の人びとが、病人もいないのに、お義母さまだけが安達家に居着いていることを、はたして許してくれるだろうか――。

懸念は当たりました。ご住職と、宿場町を仕切っているという少しばかり不敵な面構えの男にお寺へ呼びつけられて、すぐにも立ち退くようにと、厳しく叱られたのです。〝鬼〟と離れたくなかったお義母さまは、せめて路銀が溜《た》まるまでは宿場町で働かせてほしいと粘ってみましたが、金なら貸してやる、とにかく早く出て行けと、先方は一歩も譲りません。手をついて頭を下げても、まるで岩山と押しっくらをしているようなものでした。

お義母さまの必死の面もちに、ご住職は何か痛ましいものでも見るようなお顔で、

「あなたは物《もの》の怪《け》に魅入られているのだ」とおっしゃったそうです。「人の形はしていても、安達家にいるモノは、人とは相容れないものなのです。早く立ち去りなさい。このままでは、きっと恐ろしい事になる」

お義母さまは言い返しました。「確かにあれは人ではありません。でも、ちっとも恐ろしいものじゃありません。あたしには、今までに出会ったどんな人よりも、あの〝鬼〟の方が親《ちか》しく感じられるんです。優しく感じられるんです」

宿場町の顔役だという男は、下卑《げび》た笑いに口元を歪《ゆが》めて、ご住職の方を見返りました。

「とんだことだ、和尚《おしよう》さま。この女は物の怪に通じてござる。こんな可愛い顔をして、人より物の怪の方が好きだというんだから驚きだねえ」

ええ、そうですよ、そのとおりです――お義母さまは大声で言いました。

「あたしから見たら、あんたたちの方がよっぽど恐ろしい。病人だの年寄りだの罪人だのを、みんな安達家に押っつけて、押し込めて、自分たちとは関わりありませんという顔をして、平気で暮らしてる。あの〝鬼〟はあんたたちが吐き出したものを全部吸い取って背負ってくれているのに、それを有り難いとも思わずに遠ざけようとしてる。それほどにあんたたちはきれいなのかい？　それほどにあんたたちは正しいのかい？」

お義母さまの剣幕に押されたのか、顔役の男は黙りました。ご住職は念仏を唱え始めま

した。お義母さまは席を蹴《け》って立ちあがると、怒りにまかせて走ってお寺を飛び出しました。その様子をわたしにお話になるときのお義母さまの口振りは、今でもその時の怒りがお心の内に鮮やかに残っていることを、充分にうかがわせるほど激しいものでした。目には剣の光があり、口には炎がありました。

その夕、安達家の門のそばで夕日を眺めていると、いつものように〝鬼〟が現れました。お義母さまは彼に笑いかけ、彼の顔を真っ直ぐに見て、あたしと一緒に江戸へ行こうと話しかけました。

「あたしたちは似たもの同士だって、そう思ったんだよ」

自分のせいではないのに、楽しくもない役割を押しつけられて、損な役回りを引き受けて、ずっと独りぼっち。

「あんたが淋《さび》しそうな顔をしているのは、きっとあたしが淋しいからなんだね。だけどあたしは、あんたの顔に自分の心が映るまで、自分が淋しいってことさえに、全然気がついていなかったんだよ」

お義母さまはそうおっしゃったのだそうでありました。

〝鬼〟は、黙ってうなずきました。お義母さまについてきました。

「あたしは粗忽者《そこつもの》だから、その時になって急に心配になったんだ。〝鬼〟が安達家に淀《よど》んだ穢《けが》れの化身したものだとしたらば、安達家から外に一歩足を踏み出した途端に、消えてしまうんじゃないかってね」

そう思いついた刹那《せつな》には、身体中の血が、音をたてて逆流するような気がしたそうでございます。

しかし、〝鬼〟は消えませんでした。安達家の門をくぐったとき、ほんの少しばかりまぶしそうな顔をしただけだったそうでございます。

「ただねえ、ひとつだけ、不思議なことがあったんだ」

桑野を離れると、〝鬼〟の身体から、ごくごくかすかではありますが、蚕の繭を茹《ゆ》でるときの匂いが漂うようになったのだそうでございます。もっとも、お義母さまには、そんな匂いなど少しも気になりませんでした。

「あたしたちはね、まるで子供が駆けっくらをするみたいに、街道の入口目指して走ったんだよ――」


江戸への戻り道は、女ひとりの道中でしたが、危ない目には遭わなかったそうです。それはお義母さまには承知のことでした。よからぬたくらみを抱いた男どもが寄ってきても、彼らはすぐに、ぎょっとした顔をして逃げていってしまうのです。

「当然さ。あたしと一緒にいる〝鬼〟に、そいつらの性根が映って見えるのだもの。怖くて怖くて逃げずにはいられないのさ」

江戸に戻るとお義母さまは働き口を探し、生まれて初めて、自分のために、自分の人生を切り開くために、一生懸命働く日々が始まりました。〝鬼〟はそんなお義母さまに、ずっとくっついていてくれました。気配だけしか感じられない時もあれば、姿が見える時もあり、どうかすると三日ぐらいまったく見えない時もあったそうです。相変わらず彼は無言で、お義母さまが何か言っても何も答えず、ですからお義母さまは、

「影をふたつ持ってるみたいだな、と思うこともあったけれどね」

年月が経ち、やがてお義母さまは、ゆくゆく夫となるべき人と巡り会います。その人は神田明神下《かんだみょうじんした》の筆屋の手代で、おとなしいけれど働き者でした。その人は〃鬼〃を恐れませんでした。その人なりに〃鬼〃の気配は感じるようでしたが、嫌がることはありませんでした。そしてお義母さまを、熱心に好いて認めてくれた、初めてのまともな男でもありました。

「あたしは、この人ならば大丈夫だと思ったんだ」お義母さまは言って、少し目を伏せました。「ただ、〃鬼〃はあたしが人間の男と添うのを嫌うかもしれない――それはとても心配だったんだけど」

ところが〃鬼〃は、何も言わず何もしませんでした。人ではないのだから仕方ないのかなと、お義母さまは考えました。ほっとするような寂しいような、何かしら大事なものをつかみ損なったような、半端な気持ちがしばらく続いたそうでございます。

こうしてお義母さまは筆屋の手代と所帯を持ち、やがて独立して店を興します。間口一間のささやかな店ながら、夫婦の店です。それが笹屋の前身となりました。

「〃鬼〃はあたしが所帯を持ってからも、ずっと一緒に棲《す》んでいた。あたしたちの間柄は、

安達家にいたときとずっと同じ、何も変わらなかった。あたしは、夫には一度だってこんなうち明け話はしなかったけれど、あたしと一緒にいる〝鬼〟を怖がったり、嫌な気配として察したり、嫌な匂いとして感じたりするような人たちは、けっしてそばに寄せつけずに、商いするときにも用心を怠らなかった」

お義母さまはきっぱりとおっしゃいました。

「だからこそ、笹屋は一代でここまでこれたんだ。みんな〝鬼〟のおかげなんだよ」

離れの座敷のなかを見渡し、おやそこにいたんだね——というように火鉢の脇に目を留めて、ちょっと笑顔になられました。

「今だって、ここにいるよ。おまえには、まだ見えないようだけれどね」

そうそう、ちょうど富太郎をみごもっているころ、長患いの末に上洲屋の主人が死んでねと、お義母さまは思い出したように付け加えました。

「親だとは思わなかったけれど、縁のあった人だからね、ご焼香をさせてもらおうと、真夏の盛りに出かけていったのさ」

お義母さまが来たと聞いて、お内儀《かみ》が出てきました。また打たれたりするとおなかの子に障ると、お義母さまは用心しておられましたが、

「お内儀さん、あたしを見るなり、まるで晒《さら》したように真っ白な顔になってね、ぎゃっと叫んで逃げ出してしまったんだよ」

きっとあたしの後ろに〝鬼〟が見えたんだろうねえと、考え深そうにおっしゃいました。

「悋気《りんき》で一生を焦がしてしまったあのお内儀さんの目に、いったい〃鬼〃はどんな姿に見えたんだろうか」

長いお話を聞き終えて、わたしは得心がいった思いでございました。富太郎さんは、このことをご存じですかとお訊《たず》ねしますと、お義母《かあ》さまはかぶりを振りました。

「こんなに詳しくは知らないよ。ただ、あたしの人を見る目が確かだということは、父親から何度も言い聞かされてきているからね。あたしの言うことには逆らわないのさ」

佐次郎にはどんな〃鬼〃が見えたのだろう、あの人はきっと、いろいろな人を騙《だま》したりしているのに違いない——と、わたしは考えていました。お玉の鼻にだけ匂う生臭い匂いのことも思いました。

「はあ、くたびれた」

お義母さまは首筋をさすってため息をつきました。わたしはあわてて、お義母さまが横になれるようお手伝いをしました。

「ねえ、おまえ、おまえには〃鬼〃が見えないね。まったく何も感じないのだろうね」

おっしゃるとおりです。わたしには何も見えず、何も感じられません。

「そういう人には、実は初めて会ったんだよ。ほかでもない富太郎の嫁だというのに、なんと不思議なことだろうって、気になってね。だからこそ、こんな長話をすることになってしまったのだけれど」

そうだったのか、お義母さまは案じておられたのかと、わたしは納得しました。

「〝鬼〟が見えない、感じられない。それはおまえの心が清いあかし――と言ってあげたいところだけれど、そうとばかりも言えないんだよ」

お義母さまはお顔を曇らせました。

「人は当たり前に生きていれば、少しは人に仇《あだ》をなしたり、傷つけたり、嫌な思い出をこしらえたりするものさ。だからふつうは、多少なりとも〝鬼〟を見たり感じたりするものなんだ。だけどおまえにはそれがない。ということは、おまえは余りにもひとりきりで閉ざされた暮らしをしてきて、まだ〝人〟として生きていなかったということなのだよね」

これからだよ――と、呟《つぶや》くようにおっしゃいました。

「この家で、泣いたり笑ったり怒ったり、意地悪をしたり悪いことをしたり親切をしたりして暮らしてごらん。そのうちおまえにも、〝鬼〟が感じられるようになる。ただ、それが恐ろしい姿を成さないように、それだけは気をつけてね」

わたしはお義母さまの襟元に夜着をかけながら、少し笑って申しました。わたくし、松竹堂のご隠居には、嫌らしいことを仕掛けられて泣いたことがございます――

お義母さまは目を見開きました。「おやまあ、あのご隠居の色呆《いろぼ》けの噂は本当だったんだね」

そして呟くように、

「だけどおまえは、そういう〝鬼〟を見なかった……」

わたしはうなずきました。

お義母さまは、天井を見上げて、少し黙り込んでしまわれました。それから、ゆっくりとおっしゃいました。

「良いことと悪いことは、いつも背中合わせだからね。幸せと不幸は、表と裏だからね」

辛《つら》いことばかりでは、逆に〝鬼〟も見えないのかもしれない——だからやっぱり、おまえはこれからなのだよ。

「さあ、この話はもうこれでおしまいだ。あたしを少し休ませておくれ」

わたしはそっと、座敷を出ました。以来、お義母さまの方からこのお話が持ち出されることはありませんでした。ですから、お義母さまがおぼこ娘のように恥じらって教えてくださらなかった〝鬼〟の名前についても、聞きはぐったままになってしまいました。

こうして、三年が過ぎてきたのです。

そして、お義母さまはお亡くなりになりました。波乱の多かった生涯ですが、最期にはごく静かに満足して眠られたことを、嫁としてだけでなく、同じような身の上に生まれた女のひとりとして、わたしは喜ばしく、また羨《うらや》ましく思わずにはおられません。

ただ、ひとつだけ、心残りはあるのです。わたしには、とうとう〝鬼〟が感じられないままだった——ということでございます。

お義母さま亡き後、〝鬼〟はどうなるのだろうかということも、気がかりでした。だけれどわたしには、どうすることもできません。姿を見ることも、気配を察することもできないのですから。

お義母さまが亡くなったことを、然《しか》るべきところには知らせねばならず、葬儀の手配もあり、笹屋のなかはにわかにあわただしく動き始めました。番頭さんが目を真っ赤にしながら、手代や女中たちに指図を始めます。わたしも、やらねばならないことは頭に浮かぶのですが、心がついてゆかないようで、ぼうっとしてしまいました。

とりあえずこの泣き顔を洗おうと、水瓶《みずがめ》の据えてある土間の方へと向かいました。夕立はまだ盛んに降っています。履き物をはいて降りると、開け放ったままの勝手口から雨が吹き込んでいることに気がついて、閉めようと近づきました。

そのとき、そこに人影が落ちていることに気がついたのでございます。

目をあげると、降りしきる強い雨のなかに、痩《や》せこけた若い男が立っていました。ぼろを身にまとい、薄汚れたなりをしていますが、両目だけは明るく澄んで、ひたとわたしを見つめているのでした。

ああ、〝鬼〟だ——と、思いました。

間違いなく、若いときのお義母さまが、桑野の安達家で初めて出会ったときの姿のままの〝鬼〟でした。

わたしは、まるで子供が虹《にじ》を見あげるように、しげしげと憧《あこが》れを込めてその顔を見つめました。〝鬼〟もわたしを見つめ返しました。そして、ほろりと口元を笑わせました。

わたしは思ったのです——〝鬼〟の微笑は、わたしの知っているお義母さまのあの微笑みに、なんとよく似ていることだろうかと。そのまなざしの温かさも、お義母さまがわたしを御覧になるときの瞳《め》の色と、そっくりではないかと。

「あなたは——」

わたしが声をかけると、〝鬼〟はつと身を引いて、消えてしまいました。後には、ざあざあと耳をつく雨の音。

「あなた!」と、わたしは思わず声を張りあげました。「あなた、お義母さまと一緒に逝くのですか?」

応《こた》えるのは雨音ばかりです。

——これからだよ。

お義母さまのお声が、わたしの耳の底に、まるで、ずっとずっとこの時を待っていたかのように鮮やかに蘇《よみがえ》りました。

——人として生きてみて、初めて〝鬼〟が見えるようになるのだよ。

雨に打たれながら、しばらくのあいだ、わたしはただ呆《ほう》けたように突っ立っておりました。そのうちに、家のなかで富太郎がしきりとわたしを呼ぶ声が聞こえて参りました。案じているような、助けを求めているような、ごくごく身近なものに呼びかける、何の構えもない声でした。

富太郎がわたしを呼んでいる。

一緒にお義母さまを見送り、お義母さまを失う悲しみを分かち合い、富太郎がわたしを呼んでいる。

わたしは返事をして、勝手口から土間の方へと引き返しました。わたしの家のなかへと戻りました。

つと目をやると、ほんの今さっき〝鬼〟がいたところに、白い霧のようなものが漂っていましたが、すぐに雨足にまぎれて消えてしまいました。人の影も気配も、今はもうどこにも見あたらないのでございました。

女の首

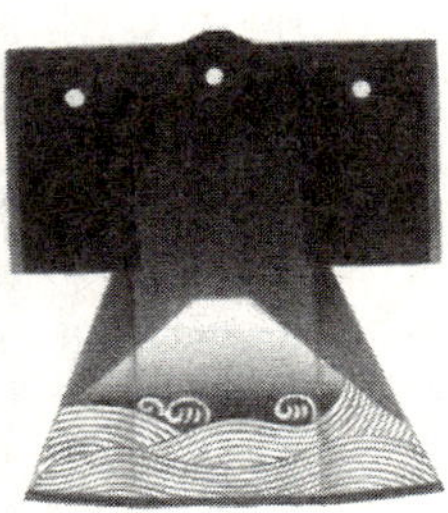

男の子のくせに、妙に手先が器用だ。太郎のまわりの大人たちは、折に触れてそんなことを言う。十歳だというのに身体は痩《や》せて背も低く、骨も細くて華奢《きゃしゃ》だから、遠目にはその半分ぐらいの歳にしか見えないこともあって、女の子みたいだと言われることもある。子供同士だと、これはまた容易にからかいや虐《いじ》めの言葉にすり替わる。おまえなんか女の着物を着て歩けとか、おまえは座っておしっこをするんだろうとか、囃《はや》し立てられることもしばしばあった。

太郎のおっかさんは、太郎がそんなふうに言われるたびに、いつも優しく慰めてくれた。いいじゃないか、大人になればきっとその器用なことで人生が開ける。だから気にしちゃいけないよ、と。

太郎はおっかさんと二人きりの暮らしをしていた。おとっつあんは、太郎が赤子のころに亡くなったと聞いている。だからおっかさんは、半端仕事をいくつもこなしながら、必死で太郎を養い育てた。自分は食べるものも食べず、寝る暇も惜しんで働き続けた。それを幸せに感じていたのだ。

だが、長年の無理は、身体のなかに、水底の泥のように溜《た》まって淀《よど》んでいた。だからこの夏の初め、下町で流行《はや》ったコロリに憑《とりつ》かれては、ひとたまりもなかった。寝付いてからは一度も目を開けず、太郎と話をすることもなくて、おっかさんは逝《い》ってしまった。

こうして、太郎は独りぼっちになった。

短い夏のあいだは、長屋の差配さんの家に居候して暮らした。差配さんは相撲取りのように大きな身体で、今年還暦だというのに顔なんかつやつやしている。目鼻立ちも大ぶりで、一年中怒っているみたいな顔つきである。飯を食いながら怒っている。湯に浸《つ》かりながら怒っている。歩きながら怒っている。

太郎は、居候するようになってから、差配さんて、寝ているときもあんなふうな怒り顔なのだろうかと知りたくなって、こっそり夜中にのぞいてみた。すると、やっぱり怒ったような顔で眠っていた。口をへの字に曲げて、まぶたを半分ほど開けて、それはそれはすさまじいいびきだった。

近隣でも名物のおっかないこの顔については、こんな話がある。長屋総出で井戸替えをしているとき、不意に空が曇って雷が鳴りだし、ぽつりぽつりと降りだした。こりゃ困るなぁと一同があわてていると、差配さんがぐいと面をあげて空を睨《にら》みつけ、間の悪い雨だなぁ下の都合を考えやがれと、叱りつけるように大きな声で言った。するとそのまま、雷雲は遠くに去ってしまった。以来、あの差配さんは雷様より強いと評判になり、その後しばらくは、雷除《よ》けにと、差配さんに一筆書いてもらいに訪れる人びとが絶えなかったそうである。

面白いことに、この差配さんは、差配さんの身体の半分ぐらいの大きさしかないおかみさんに頭があがらない。居候の太郎は、おかみさんに世話をやいてもらいながら、しょっちゅう小言を言われるが、差配さんも同じようにおかみさんの小言をくらう。脱いだものを散らかすなとか、飯は音をたてずに食べろとか、魚は骨までしゃぶれとか、拭《ふ》き掃除をするときには雑巾《ぞうきん》はきりきり絞れとか、実に細かい。太郎は、おっかさんに代わって家のなかのことをするのが当たり前のようにして育ってきたので、そうした小言は気にならなかったけれど、大きな差配さんが、小さなおかみさんに叱られるたびに猪首《いくび》を縮める様子がおかしくて、笑いをこらえるのには苦労をした。

夏も終わりになるころには、居候の暮らしにもすっかり馴染《なじ》んでいた。一方で、差配さんとおかみさんが、大きな頭と小さな頭を寄せては思案顔でひそひそと、何か相談事をするようになったのにも気づいていた。あれはおおかた、おいらの今後の身の振り方についての相談だろう——と察していたら、大当たりだった。朝一番に涼風が吹いて、おかみさんに言いつけられて軒の風鈴を片づけたり、簾《すだれ》を外して拭いたりと、忙しく働いたその日の夕、太郎は差配さんとおかみさんの座敷に呼ばれた。

「明日から、おまえは奉公にあがることになった」

あっさりと、差配さんはそう言った。

「本所《ほんじょ》一ッ目橋の先にある、葵《あおい》屋という袋物の店だ。おまえも聞いたことがあるかもしれないが、大川のこっちじゃ、たいそう名の知れたお店《たな》だよ。そこで住み込みで働くことになる」

「袋物屋で名が知れてると言ったって、本町二丁目の丸角屋ほどじゃないけどねえ」

おかみさんは江戸でも有名なお店の名をあげて、ちょっと鼻を鳴らして笑った。

「でも堅いお店だ。先様じゃ、今まで何度かおまえぐらいの歳の男の子を丁稚《でっち》に置いてみたことがあるが、みんな居着かなかったと言っている。店の切り回しは身内だけでやってるし、あすこの縫子はもっぱら女ばかりだから、怖い奉公先じゃあないはずなんだがね」

太郎はかしこまってうなずいた。

「あんたはえらく手先が器用だ」おかみさんはしゃきしゃきと続けた。「まったく、男の子にしておくのはもったいないくらいだよ。そういう生まれつきを活《い》かさない手はないからね。せいぜい売り込んでおいたから、真面目に働くんだよ」

確かに、居候してからこっち、太郎はおかみさんに代わって、繕い物は全部引き受けてきた。だから、「売り込んでおいた」というのは、おかみさん流の誉め言葉なのかもしれない。実際、おかみさんときたら不器用で、縫い目を真っ直ぐにすることもできないのだ。

太郎はただ手先が器用なだけでなく、縫い物や繕い物をするのが好きだった。だから、いずれどこかへ奉公に出なければならない身の上としては、この話は嬉《うれ》しかった。

「普通なら、十にもなれば手習いに通う頃合いだ」大きな差配さんが、大きな目をぎろりと剝《む》いて言った。「だけどおまえは他人《よそ》様《さま》に奉公にあがる。それを恨むんじゃないぞ。人にはそれぞれ、分相応ってもんがあるんだからな。奉公先で仕込んでもらえることを有り難く思うんだぞ」

今度はあいまいにではなく、はっきりと意志をもって、太郎はうなずいた。

「ところでおまえ」差配さんが、太郎の頭ほどの大きさの膝頭《ひざがしら》をぐいと進めた。「やっぱり口はききたくないのか」

太郎はさっとうつむいた。おかみさんが、いいじゃないの今さらと、叱りつけるような取りなし方をした。

太郎は口をきかない。ものごころついてからこっち、ひと言もしゃべっていない。

赤ん坊のときからそうだった。泣くときも、声を出さずに涙と顔だけで泣いた。片言も言わなかった。だからずっと、おっかさんもまわりの大人たちも、この子は生まれながらに声が出ないのだと思っていたそうである。

ところが、つい三年ほど前、ほかでもない差配さんの家の屋根を直しにきた職人が、足を滑らせてまともに落っこちるのを目にしたとき、太郎は大きな声で「あ!」と叫んだ。おっかさんも長屋の人たちも、職人が落ちたことよりも太郎が叫んだことの方にびっくりして駆け寄ってきた。でも、揺さぶられても呼びかけられても、二度と声は出なかった。

それでも、大人たちは、とにかくこの子は喉《のど》が悪くて声が出ないわけではない——と知った。以来、太郎は同情されるよりも好奇のまなざしを向けられることの方が多くなった。誰に何を言われてもおっかさんはかばってくれたし、話したくないなら無理しなくていいと慰めてくれたから、それほど辛《つら》い思いはしなかったけれど、太郎自身が、おいらは変わってるんだと意識するようになったのは、このときを境にしてのことであった。

たった一度だけ叫んでしまったときには、ほかの誰よりも、太郎本人がいちばん驚いたのだった。声が出る。おいらには声がある。それは太郎にとっても、地面がひっくり返るような衝撃であり、もちろん喜びだった。

　だから続けてものを言おうとした。当たり前だ。だが、駄目だったのだ。何か——何か太郎の心の奥底にじいっと隠れていたものが、声を出してはいけない、それは悪いこと、危険なことだと知らせているみたいだった。その忠告に従わないとたいへんなことになるという漠然とした感じが、身体の内側からこみあがってきて、両腕に鳥肌が立つのが感じられた。だから太郎は黙り、また沈黙のなかに引き返したのだった。

　以来、一度も声は出ない。

　試みてみなかったわけではない。一人きりでいるときなど、ためしに何か言ってみようかと、口を開いたことはある。だが、そうすると必ず、心の底に隠れているあの〝何か〟が喉元へ駆け登ってきて、駄目だ駄目だとざわざわする。その感じには、まだ幼い太郎にもはっきりと感じ取れるほど、剝き出しに差し迫ったものがあって、ただならない感じがあって、結局また口を閉じてしまうのだ。その繰り返しだった。

「まあ、葵屋さんじゃ、おしゃべりよりも静かでいいとおっしゃっているからな」差配さんは、大きな鼻の穴をふくらませて息を吐きながら言った。「しっかり奉公するんなら、障りはあるまいよ。だがな、おまえは人よりも、なおさら読み書きが大事になるからな。そっちの方も葵屋さんで教えてくださるそうだから、ちゃんと習うんだよ」

太郎はこっくりとうなずいた。差配さんとおかみさんは、何かを譲り合うみたいにちょっと目を合わせた。それから、おかみさんが言った。「おっかさんの位牌《いはい》は持って行くかい？　それとも、おまえが一人前になるまで、うちで預かっておこうかね？」

おっかさんの位牌は、孤児《みなしご》になる太郎が哀れだからと、長屋の人たちが財布の底の塵《ちり》まではたいて集めた金でこしらえてくれたものだった。持って行きたいのはやまやまだが、住み込み先では、位牌を安置する場所もあるまい。太郎は心を決めて、差配さんの家の小さな仏壇に目を向けた。

おかみさんはうなずいた。「そうかい、じゃあうちで預かっておこう。そのかわり、あんたのおっかさんが縫ってくれた着物を着てお行き」

明日の朝は早いよと念を押されて、太郎は早くに寝床に入った。それなりに慣れたこの暮らしともお別れだと思うのに、さほど寂しさや心細さを感じない。新しい奉公先への不安も、とりたてて言うほどのものがない。そのことが、かえって、ああおいらは本当の宿なしになってしまったんだなぁという実感につながって、なかなか眠れなかった。

冴《さ》えた頭のまま目をつぶっていると、まぶたの裏に、もやもやとした景色や人の顔みたいなものが浮かんでは消える。それらを追っているうちに、ひどく物寂しい心持ちになってしまった。その気持ちを引きずったまま、影のなかに歩み入るようにして太郎は眠った。

そして、へんてこな夢を見た。

眠っている太郎の枕元に、妙に黄色い顔をした小さな人が座っている。小さなその人は、何かひどく心配そうな様子で、しきりと両手を揉《も》んでいる。暗くて、顔はよく見えない。ただその小さな人が、黄色い顔によく映る黄色い着物を着ているのはわかる。見慣れた色——ちょうど、よく熟れた南瓜《かぼちゃ》みたいな色だ。

カボチャの色は、おっかさんの好きな色だった。なぜかしら、これは太郎にとって縁起のいい色だと決めていて、よくこの色の着物を縫ったり、この色の端切れで継ぎ当てをしたりした。女の子みたいだと囃《はや》される理由《わけ》のひとつでもあったから、太郎はあんまり嬉しくなかったのだけれど、おまえはこれさえ着ていれば病気にもかからないし、災難からも逃れられるんだよと熱心に説かれて、渋々ながら身につけていた。

例のコロリが流行を始めたときも、おっかさんは、どんなコロリ封じのおまじないやお守りよりも、太郎にはカボチャ色がよく効くんだと言っていた。結果的には、それは当たっていたのかもしれないけれど——だったら、おっかさんもカボチャ色の着物を着ていればよかったんだ。

おっかさんのこの考えには、何かしらちゃんとした拠《よ》り所《どころ》があるようだった。その拠り所を、強く信じて恃《たの》んでいるようだった。カボチャ色を好むだけでなく、どんなものにもそれぞれに神様が宿っているんだから、カボチャにも神様がいる、だから失礼があっちゃいけないと、カボチャを食べようともしなかった。冬至《とうじ》に食べれば一年元気でいられるという、縁起物のカボチャの煮つけさえ、ご近所からお裾分《すそわ》けを受けても、箸《はし》をつけようとしなかったほどだ。

――なんであんなことしてたんだろうな、おっかさん。

夢のなかで、これは夢だと知りながら、太郎はそんなことを考えた。そのうちに眠りが深くなり、枕元の小さな人も見えなくなってしまった。

袋物の葵屋は、今の主人の浅一郎で二代目だが、先代までは煙草屋だった。この人が手仕事の好きな趣味人で、刻み煙草を持ち歩くための袋物を手ずから作り、それが周囲で評判になって、ついには商いになったのである。そして十年ばかりは煙草と袋物の両方を商っていたが、そのうちに袋物一筋になってしまった。煙草屋は、湿気の多い時期など商い物の管理が難しく、黴《かび》でも出しては大事《おおごと》なので手間がかかる。それに何と言っても袋物の方は好きで始めた仕事だから、熱の入り方も違ったのである。

浅一郎も親譲りの器用人で、主人となった今でも針を持って袋物を縫うことがある。妻のお由宇《ゆう》との夫婦仲も睦《むつ》まじい。堅物《かたぶつ》の浅一郎は道楽のひとつもなく、酒も飲まず、お由宇と二人、袋物の材料に使う端切れや古着を求めて歩き回ることが唯一の楽しみだというから、念のいった朴念仁《ぼくねんじん》である。

そんなような事柄を、太郎が葵屋に行くまでの短いあいだに、差配さんはあわただしく話して聞かせてくれた。そして最後に、

「葵屋さんには、跡取りがいない」

と、なんだか妙に力んで言った。

「浅一郎さんとお由宇さんは、十年前に、えらく不幸な格好で、生まれたばかりの赤子をなくしていなさるんだ。ふとどき者に拐《かどわ》かされてな。それっきり、赤子に恵まれておらなんだ。だからな、太郎。おまえが正直に良い子で奉公していれば、きっと取り立ててくださるぞ」

太郎はおとなしくうなずいたが、ちょっとぶしつけなくらいの欲のある励ましに、差配さんらしくない感じも覚えた。実は差配さんは、口先で言っている以上に、おいらが奉公にあがることを不安に思っているのかもしれない――

それはそうだろう、なにしろ一切口をきかない子供なのだ。こんな愛想のない役立たずは要らないと、すぐに追い出されてしまうかもしれない。

実際、太郎も自分の先行きが見えずに不安だった。

貧しく育った太郎は、これまで、袋物など、振り売りが笹の枝に結びつけて売りに来るような安物しか目にしたことがなかった。凝ったものは贅沢《ぜいたく》品だ。それを商う葵屋はいったいどんなお店だろう、家のなかはどんなだろう、はたしてそこで暮らしていけるのだろうか、何から何まで勝手が違いすぎるのではないか――。

ところが、いざ奉公にあがってみると、まったくもって、案じたほどのことはなかった。瓦《かわら》屋根をいただく葵屋の建物は立派だが、そこに暮らす人びとは、長屋の人たちと同じぐらいに気さくで温かい心根の持ち主だった。ほんの数日を過ごすだけで、そのことはよくわかった。みんな、長屋のおかみさんやおじさんたちよりは、言葉遣いもきれいだし、きちんとした身なりをしているけれど、笑ったり怒ったり飯を食ったりする様子はごくごく当たり前の雑駁《ざっぱく》さに満ちていたし、何よりも葵屋の人たちは一様に働き者だった。主人夫婦も例外ではなく、皆が元気にくるくるとよく働くその様子は、太郎に、怖い差配さんの睨《にら》みがきいていて、怠け者は店子《たなこ》として置いてもらえなかった懐かしい長屋での毎日を思い出させた。

葵屋の内向きは、差配さんも言っていたとおり、こぢんまりと身内で仕切っていた。主人夫婦も先にたって働いている。先代の主人は亡くなって五年ほど経ち、それを機に、先代のお内儀《かみ》である浅一郎の母親は、向島《むこうじま》に小さな家を建ててもらって隠居暮らしを始めたが、頭も身体もいたって元気で、店の方にもしばしば足を運んでくるという。

商いの細かいことを預かっている番頭は、先代からここに奉公している古顔だが、実はこの人はお内儀のお由宇の父親なのである。女中は二人いるが、二人ともお由宇の方の親《しん》戚《せき》筋だ。商いを習いながら番頭を手伝っている手代の男は、浅一郎の従兄《いとこ》の息子である。袋物は、商い物としては扱いの難しいものではないので、お店の切り回しに、そう多くの人手を要するわけではないのだった。

一方、縫子の方は大勢いた。住み込みだけで五人、通いが六人。年齢はさまざまだが、すべて女性である。住み込みの縫子たちはまだ若い娘ばかりで、彼女たちは当番で飯炊き、水汲《みずく》みや掃除もこなした。三人であてがわれている座敷の掃除も自分たちでする。通いの縫子たちのなかには、女手ひとつで三人の子供を育てている者もいれば、年老いた親の面倒をみているという者もいた。

奉公にあがった最初の日に、一度に大勢の人たちに引き合わされたので、太郎には誰が誰だか判らなかった。だが縫子の女たちは、いっぺんで太郎を気に入ってしまったらしい。うちの子と同じ歳なのに偉いねとか、困ったことがあったらすぐ言いなよとか声をかけられて、ひどくどぎまぎした。

悪い気はしなかったが、拍子抜けした。

太郎は奉公にあがるのは初めてだが、長屋暮らしで見聞きしたことで、丁稚《でっち》奉公がおおよそどういうものであるかということぐらいは知っている。丁稚など人の内にも数えられないと言われ、朝から晩まで働かされ、叱られ叩《たた》かれ、年長の者には虐《いじ》められ、飯もろくに食えない――そういう暮らしが待ち受けているのだと思っていた。そんな仕打ちに耐えて、少しずつ仕事を覚えていく。仕事が覚えられれば、もっと少しずつだが認められて、居場所がつくれるようになってゆく――それがお店者の宿命なのだろうとも思っていた。

ところが、葵屋に奉公にあがった最初の日に、太郎がしたことと言えば、主人夫婦を始め皆に挨拶《あいさつ》することと、与えられた奥の三畳間に落ち着くことと、手代と女中たちと一緒に飯を食べることだけだったのである。この三人は仲が良く、飯のあいだもしきりにしゃべったり、太郎に話しかけたりした。彼らは既に、太郎がしゃべらないということを承知しており、おっかさんが死んで悲しかったろうねとか、食べ物は何が好きかいとか話しかけては、可哀想にね、この歳で独りぼっちなんてねとか、あたしはあんたぐらいの時には卵焼きが好きだったとか、自分たちで勝手に答えていた。少しばかりにぎやかなことを差し引けば、一緒にいて気持ちの良い人びとだった。

その翌日も、同じようなものだった。朝飯の後、廊下の拭《ふ》き掃除をする女中を手伝って、その後にはもうすることがなかった。それではかえって落ち着かなくて、うそうそと女中のそばにいたら、たぶん察してくれたのだろう、雑巾《ぞうきん》を縫ってちょうだいと、一山の古手《ふるて》拭《ぬぐ》いと小さな針箱を持ってきてくれた。太郎は喜んで取りかかり、陽が傾かないうちにすべて縫い上げてしまった。するとたいそう誉められて、また夕食は四人で食べた。若い手代の男が、昔、太郎のいた長屋の近くの柿の木に登って実をとろうとして、差配さんに怒鳴られたという話をして、女中たちが大笑いをした。あの差配さんは今でも怖いだろう、あんな怖いところでよくひと夏も暮らせたねと問われて、太郎が首をかしげると、それがおかしいと言って皆で笑った。

その翌日もまた、何もすることがなかった。忙しそうに仕事に励んでいる人たちのあいだで、ぽつりと取り残されたように暇にしているのは、かえって悲しい。それでまた女中のそばに行くと、また山ほどの雑巾を縫ってと頼まれた。今度は古手拭いではなく、端切れみたいなものから縫ったので、夕までかかった。できあがったものを持ってゆくと、女中は手を打って喜び、器用なのねと感心した。ごほうびに、お内儀さんに頼んでお菓子をもらってあげるからね。そうそう、あんた足袋の繕いもできるよね、たくさんあるんだ、明日からお願いね。

変わったお店だ——と、太郎は思った。丁稚奉公にあがった子供に、こんな楽をさせておくなんて。いくら縫子になるための奉公だとしても——いや、それだからこそ、もっと厳しいことをやってもいいいんじゃないのか？　これまで置いた丁稚奉公の男の子たちが居着かなかったというのは、こういう扱いを、かえって居心地悪く感じたからじゃないのか。

それでも四、五日ばかり、言われるままに雑巾を縫ったり、足袋の繕いをしたり、掃除の手伝いをしたりして、おとなしく過ごした。ほかにどうしようもなかったし、どこへ行くあてもない。厳しくこき使ってもらえないので嫌だなどと思っては、バチが当たるような気もしたのである。

それでも、やっぱりヘンなものはヘンだ。そして、変わっているといったら、主人夫婦がいちばん変わっていた。

最初にお目通りしたときは、太郎も固くなっていたので、ほとんど主人夫婦の顔など見ていなかったから、あまり感じるところはなかった。品が良さそうで、優しそうな人たちだと思ったくらい。ただ、お内儀さんの話す声がとても小さくて、震えるようにか細いなと思ったくらいだった。

ところがその後、太郎が葵屋のなかで日々を過ごすようになると、折節、旦那《だんな》さんやお内儀さんが、こちらを観察するようにじっと眺めていることに気づき始めた。ごく最初のうちは、ああ、おいらの働きぶりを計っておられるんだなと思っていたが、なにしろ楽な毎日のなかで、旦那さんやお内儀さんの視線に気がつくと、これはどうもそういう具合ではなさそうだと思い始めた。旦那さんは、女中と一緒に廊下を雑巾がけする太郎をながめて、口元をほころばせていたりする。お内儀さんは、自分の茶碗《ちゃわん》をきちんと洗って箱膳《はこぜん》におさめる太郎を見て、ちょっと涙ぐんだような目をしていることがある。

大勢の人たちが働いている越後《えちご》屋や紀伊国《きのくに》屋のような大店とは違い、葵屋は人が少ないから、丁稚だって主人夫婦と顔を合わせる機会があっても不思議はない。だが、こうもしげしげと、しかもまるで見守るような主人夫婦の視線を身に受けるというのは、当たり前ではないことだ。

これは、妙にゆるい躾《しつけ》と楽な奉公の具合とも考え合わせると、居心地悪いを通り越して、いっそ不気味と言ってもいいかもしれない。世間的な丁稚奉公のありようについて、太郎よりもよく知っているだろうはずの女中たちや手代や縫子たちも、こういう太郎の扱われように何の不審な顔も見せていないということも、実はえらくおっかないことだ。

そういう心のしこりは、いくら太郎が黙《だんま》りの子供でも、やっぱり顔に出るものらしい。奉公にあがってちょうど十日目、女中の一人と一緒に納戸の片づけをしているとき、太郎は声をかけられた。

「あんた、なんか居心地悪い気がしてるんだろうね。そうじゃない？」

この女中は、二人のうちでも年若い方で、名をおあきといった。美人ではないけれど、明るい顔立ちで元気がいい。酢の物のようにさっぱりとした気性のようである。

太郎は、内心のもやもやに耐えきれなくなりそうになっていたから、迷わずこっくりとうなずいて答えた。するとおあきは、木箱や行李《こうり》の隙間に腰をおろして、前掛けについた埃《ほこり》を払いながら、ああやっぱりねと言った。

「あのね、おっつけ旦那さんとお内儀さんからお話があるだろうから、あたしがでしゃばるのはいけないことなんだけど、あんた気に病んでるみたいで顔色が良くないし、気の毒だからこっそり教えてあげる」

おあきは言って、太郎の近くに顔を寄せ、囁《ささや》いた。

「あんたは最初から、丁稚奉公のために呼ばれたんじゃないの。見てのとおり、このお店には跡取りの子供さんがいないからね、旦那さんとお内儀さんは、男の子を養子に迎えようと考えていなさるの。でも、もちろん男の子なら誰でもいいってわけじゃないし、怠け者や手癖の悪い子だったりしたら困るでしょう。できればお店のために働ける手先が器用な子がいいし……。それで、とりあえず奉公人としてこの家に入れて、同じ屋根の下に暮らして様子を見て、良さそうな子だったらあらためて養子にとろうって、そういうふうに考えていなさるのよ」

太郎は目が晴れた思いだった。そうか、それでこの中途半端な待遇と、主人夫婦の見守るような観察するような視線の意味が読み解ける。

おあきは手で口元をおさえると、ちょっと笑った。「奉公人として家に入れるなら、あくまでも奉公人として扱えばいいんだけど、旦那さんもお内儀《かみ》さんも、とてもお優しい方だから、小さい子供を追い使うなんてこと、もともとできやしないのよ。それに、もしかしたら跡取りとして養子にするかもしれない男の子だって思うと、最初《はな》っから情が移ったみたいになっちゃって。あんた、かえって気味が悪かったんでしょう？」

太郎はほっとして、おあきと同じようにちょっと笑った。

「今まで、三人ばかり来たかなあ。みんな結局は旦那さんとお内儀さんのお眼鏡にかなわなくて、家に帰されちまったけどね。あんたは四人目。あのね、あたしの睨《にら》んだところだと、あんた、かなり気に入られてるよ。おしまさんもおりんさんもそう言ってた」

と、もう一人の女中と縫子の名をあげて、

「手代さんは、最初から、ここで商いを覚えたら他所《よそ》でお店を出す約束だから、養子が来たって困ることない。それにあの人って人がいいから、気にしなくって大丈夫よ。よこしまな欲なんかない、真面目な人だからね」

太郎はこのとき、ふと、おあきと手代が仲良しであることを思い出し、ひょっとしたらこの二人は所帯を持つ約束をしてるのかな、と感じた。だとしたらお似合いの二人である。

「悲しい話だから、誰もわざわざ口にしないけど、旦那さんとお内儀さんは、昔お子さんを亡くしてるの。もう十年も前の、先代の旦那さんとお内儀さんのころのことでね。そのころには、今の旦那さんとお内儀さんは若旦那さんと若お内儀さんだったわけでさ、所帯を持って、ほんの一年ぐらいだったみたい。あたしはまだ奉公していなかったから、詳しいことは知らない。でも、やっとお七夜が済んだばかりの赤ちゃんを、拐かされてしまったんだって。悲しみのあまり若お内儀さんは寝付いてしまって、半年も枕があがらなかったって」

太郎はうつむいた。お内儀さんのか細い声が思い出される。

「男の子でね、生きていれば、ちょうどあんたぐらいの歳ね。だからさ、あんたもし養子になったら、旦那さんとお内儀さんに、うんと親孝行してさしあげてね。お二人とも、本当に良い方たちなんだから。いいわね？」

ここでうなずくのも――まだ養子になれると決まったわけではないのだから――図々《ずうずう》しいような気がして、太郎はまた微笑するだけでごまかした。おあきはあはは《・・・》と笑った。

「まあ、あんたが跡取りになったら、あたしたちのこともよろしくね」

ちゃっかりとそう言うと、仕事に戻った。太郎も、肩の荷が下りた気持ちでせっせと手伝った。

納戸部屋は四畳半ほどの広さだが、雨戸が閉め切られ、畳があげてあって荷物が詰め込まれているだけで、もともとは普通の座敷であったようだ。奥には押入もあり、唐紙が二枚立っている。片づけるまでは、荷物に被《おお》われていて見えなかったのだが、いくつか木箱《の》をどけたりすると、その唐紙の一枚が全部露《あら》わになって、とたんに太郎はぎょっと息を呑んだ。

その唐紙は、裾《すそ》の方に縞《しま》の模様が入っていた。ほかの部分は、古びて黄色っぽくなっているものの、もともとは白地の無地で、何の柄も入っていないところだ。

その上に、女の生首の絵が描かれているのである。

若い女ではない――お内儀さんぐらいの歳だろうか。いや、もっと上かもしれない。大きく両脇に張り出した派手な髷《まげ》を結って、こめかみの方まで眉《まゆ》が吊り上がっている。口はぎゅっと閉じられており、かっと見開いた両のまなこは、きっとばかりに正面を向いているが、何を見て――いや、睨んでいるのかは読みとれない。ずばりと斬られたように、首だけが宙に浮いて描かれていて、斬り口のように見える部分に血がにじんでいた。

忌まわしい顔だった。ひと目見ただけで、身体中のやわらかいところに、くまなく鳥肌が立つような感じがした。太郎は思わず一歩後ずさり、おあきにぶつかった。

「あら、どうしたの？」

おあきは鼻の頭に埃をくっつけて振り返った。そして目を見開く。

「まあ、怖い顔をしてさ。鳥肌が立ってるじゃないの。何かいたの？　蜘蛛《くも》？　家守《やもり》？」

太郎はしゃにむにかぶりを振った。おあきのお気楽な問いかけが信じられない。蜘蛛だの家守だのなんて可愛いものじゃない。目の前にあるじゃないか。この生首――

しかし、おあきはぐるぐるとまわりを見回して、明るく笑った。

「太郎ちゃん、案外気が小さいんだね。虫なんか悪さはしないよ。怖がることないわよ」

啞然《あぜん》として、太郎はおあきと唐紙の女の首を見比べた。おあきには――見えないんだろうか？

太郎は彼女の袖《そで》を引いて、怖さをこらえて唐紙に近づくと、女の首の絵の方を指さした。

「そこに何かいるっての？　何もいないじゃない」おあきは笑うだけだった。

見えないのだ。おあきには見えない。こらえようもなく、太郎はぶるぶるっと震えた。

「もう片づけもしまいだから、先に出ていていいわよ。しょうがないわねえ」

言いながら、おあきは太郎の背中を押して追い出した。捨てるものがいくつかあったので、納戸のなかは、先よりも空いていた。おかげで、木箱や行李に隠されず、女の首は、廊下からもしっかりと見通すことができた。

太郎は早くここから離れようと、いそいで踵《きびす》を返した。

その瞬間、どうしようもなく目の隅を横切ってしまった女の首が、にやりと笑った。

太郎はぞっとして振り返り、食いつくように唐紙を見つめた。女の首は、最初に見たときと同じ表情をしていた。

だが——

閉じていた口が、ほんのわずかだが開いている。まるで、太郎に話しかけようとするかのように。

太郎は逃げ出した。

その日の残りは、またぞろ手持ちぶさたで、気をまぎらわす術《すべ》もなく、太郎は納戸で見た女の首のことを考えないわけにはいかなかった。なんて恐ろしい顔だったろう。なんであんなところにあんなものがあるんだろう。

何よりも不思議なのは、太郎に見えた女の首が、おあきには見えなかったということだ。あまりにおかしいので、しばらく考えているうちに、あれはおあきに見えなかったのではなくて、太郎が見たものの方が間違い、何かの目の迷いだったのではないかとさえ思えてきた。起きていて怖い夢でも見たみたいに。

それを確かめるには、もう一度見にゆくのが手っ取り早い。怖いけれど、宙ぶらりんの気持ちでいるよりはそっちの方がましだ。太郎は勇気を奮い起こして、納戸部屋へと向かった。入口の引き戸に手をかけるとき、指だけでなく腕が、身体全体がぶるぶる震えているのがわかった。

ぐいと引き戸を引いた。

廊下からさし込む午後の陽の光に、うっすらと、唐紙の上の女の首が浮かび上がった。何度まばたきをしても、両手で目をこすっても、見えるものは見える。

さっき開きかけているように見えた女の口は、また閉じていた。一本の線のようになっている。いや、今度は逆に、最初に見たときよりもきつく閉じられているようじゃないか。

太郎は、おそるおそる足先を伸ばして、半歩、納戸のなかに踏み入った。爪先《つまさき》が近くにあった行李の角にぶつかって、ことんと音をたてた。はっとして、一瞬足元に目をやった。そして顔をあげると——

女の首は、大口を開いて笑っていた。両の目には光があり、むき出しになった白い歯が、まるで牙《きば》のように尖《とが》って見えた。

　太郎は声もなく納戸の外にまろび出た。引き戸にぶつかって大きな音をたてた。誰かの足音が近づいてくる。女が唐紙から出てきたのかもしれない。廊下を這《は》って逃げようとしていると、背後からぎゅうと抱き留められた。

「おいおい、どうしたんだい？　こんなところで何をしてるんだい？」

　あの若い手代だった。心配顔で太郎を抱き起こすと、怪我がないか確かめるように、太郎の顔をのぞきこんだ。

「大丈夫かい？」

　太郎は彼の腕をつかんで、納戸の入口へ引っ張っていった。唐紙の方は見ず、ただ精一杯に腕を伸ばして、女の首がある方を指さした。

　手代は狐につままれたみたいな顔をしている。

「どうしたんだい？　ねずみでも出たかい？」

　太郎は残り少ない勇気のありったけを振り絞って、戸口からそろそろと顔をのぞかせ、唐紙を見た。女の首はそこにあった。

　しかし、手代には見えないのだ。彼は笑顔で、昼寝していて寝ぼけたんだね、と言った。

「太郎は繕い物が上手だね。そろそろ袋物を縫う稽古《けいこ》をさせようかって、旦那《だんな》さんがおっしゃっていたよ」

　太郎は膝《ひざ》から力が抜けて、その場にへたりこんでしまいそうになった。

おかしい。どう考えてもおかしい。

その夜、自分の布団の上で膝を抱えて、太郎は必死で考えた。どうして納戸の唐紙にあんなものが描かれているのか。どうしてあれは太郎にだけ見えるのか。おあきにも手代にも見えなかったのだから、男にだけ見えるとかいうものではない。それとも子供にだけ見えるのだろうか。あれは幽霊なのか、物《もの》の怪《け》なのか。それとも、葵屋ゆかりの誰かなのだろうか。

あの納戸部屋は、もとから納戸につくられたものではない。座敷だったところを、わざわざ畳を上げて納戸に使っているのだ。ひょっとしたらそれは、あの唐紙の女の首と、何かしら関わりがあるのではないか。あの女の首の絵を隠すために、あの座敷を納戸にしてしまったのではないのか。

とうてい眠れなかった。逃げて長屋に帰りたかった。あんなものが同じ家のなかにあるなんて、どうしても我慢できない。

狭い座敷の隅の行灯《あんどん》が、すうっと光の尾を引いて消えた。

油はまだ充分残っていたはずだった。だから、今夜は夜通し点《つ》けていようと思っていたのだ。太郎は膝を抱く腕に力を込めて、動くこともできず、闇のなかでじいっと固まった。

はあはあと、自分の呼吸だけが聞こえる。

どれくらい時が経ったろうか。太郎はやっと心を決めて、行灯に近づこうとした。もういっぺん火を点けるのだ——

　行灯の方に身体を向けたとき、まるでそれを待っていたように、座敷から廊下に出る唐紙が、がたりと開いた。太郎は飛び上がるように振り返った。

　廊下の闇のなかに、すらりとした女の影が立っていた。どういうわけか、帯のあたりから下しか見えない。胸から上は闇に溶け込んでいる。

　女は藤色の着物を着ていた。同色の帯の上に、血のように赤い帯締めを締めていた。足は裸足《はだし》で、なぜかしら泥だらけだった。

　その泥に汚れた足が、すいと動いて座敷に踏み込んできた。

　太郎はばっと起きあがると、窓に飛びついた。勢い余って窓の障子を破りながら、一気に開け放って身を乗り出した。逃げ出そう！

　そのとき、窓の外の夜の宙に、ふいと女の生首が浮いた。首は泳ぐように太郎の顔のすぐそばまで近づいてきた。真っ赤なくちびるが割れて、太郎の顔に、墓場の土のように冷たい息がかかった。

　女の首はひと言、呻《うめ》くように言った。

「今度はとり逃がすものか、首をとってやる」

　助けて、と叫んで、太郎は気を失った。

　気がついたときには、夜はすっかり明けていた。右手のすぐ傍らに、悲しそうな目をしてお内儀《かみ》のお由宇が座っていて、心配そうに太郎をのぞきこんでいる。その隣にはおあきが並んでいて、同じように顔を曇らせている。少し泣いていたみたいだ。

驚いたことに、聞き覚えのある声が、左手の方から話しかけてきた。

「おい、正気に戻ったかい」

差配さんだった。おかみさんもいる。なじみ深い組み合わせだが、今日はちょっと様子が違っていた。おかみさんが怒ったような顔をしているのに、差配さんはなんだかひどく窶《やつ》れていた。

長屋に帰されるんだな——と、太郎は思った。それで差配さんが引き取りに来たんだ。

「あんた声が出たんだってね」

難しい顔のままで、おかみさんが言った。

「だったら、昨夜《ゆうべ》何があったのかしゃべってごらん。なんで気絶したりしたんだい？　あんたが何も言ってくれなきゃ、何もわからないんだ。あんたのおっかさんだって、あんたの身を案じてあの世へ行けやしない」

差配さんが、大きな手で後ろ頭をごりごりかいた。きまり悪がっているようだった。どういうことだろう？

「お二人とも、今朝方、うちを訪ねて見えたのよ」と、お由宇が説明をするように話しかけてきた。「太郎が倒れてしまったので、夜が明けたら遣いをやって、差配さんにもお知らせしようと思っていたんですよ。だけどその前においでになって……」

やわらかなお由宇の声をさえぎるように、差配さんのおかみさんはてきぱき言った。

「あんたのおっかさんの位牌《いはい》がね、夜毎暴れてしょうがないんだ」

太郎が長屋を去って以来、仏壇のなかで、夜通しゴトゴト音をたてているのだという。

「あんたのことが心配なんだろうと察してね、あたしら毎日、お線香をあげて拝んでさ、太郎のことなら大丈夫だ、いいところの奉公にあがれたし、もしかしたら養子にだってなれるかもしれないから安心して成仏しなよって言い聞かせてたんだけど、仏さん、聞いてくれないんだよ。それでようよう腰をあげて、あんたの様子を見るために、こちらへうかがったってわけさ」

おかみさんは鼻先で付け足すように笑った。

「ごらんよ、うちの人。寝れたろう？　雷様より強いって評判をとったこともあるっていうのに、あんたのおっかさんの位牌が暴れるんで、眠れやしないんだってさ。存外、臆病《おくびょう》な人だったんだね」

差配さんはまた後ろ頭をごりごりやった。なるほど、決まり悪がっていたのは、このせいだったのか。

「訪ねてきてみたら、あんたが昨夜ひっくり返ったっていう。やっぱりあんたのおっかさんが心配するとおり、あんたの身には何か起こっていたんだね。さあ、言ってごらん。おっかさんの魂のためにも、あんた、いい加減にしゃんとしなくちゃいけないよ」

太郎は起き上がり、心の臓がどきどきするのを、手をあてて押さえた。しゃべれるだろうか。乾いたくちびるを舐《な》めて、大きく息をした。

「首が」と、声が出た。「女の首が」

そして、太郎はしゃべった。自分でもびっくりするくらいにスルスルと言葉が出て、恐ろしかったことを語るとまた背中が冷えたけれど、おなかの底のものを吐き出すことは気持ちがよかった。

話が進むうちに、お由宇の頬に血が上ってきた。やがて彼女の目に涙が溢《あふ》れた。あの悲しみに細った声ではなく、喜びに震える声で彼女は叫び、とびつくようにして、太郎をひしと抱きしめた。

「あの女の首が見えたのなら――確かに見えたのなら、間違いない、太郎、おまえはあたしたちの子供です！　あたしたちの血を受けた子供なんですよ！」


十年前の事件のことである。

浅一郎とお由宇のあいだに生まれて間もない赤子を拐《かどわ》かしたのは、以前に葵屋で女中奉公をしたことのある、お吉《きち》という女だった。

お吉は口入屋《くちいれ》を介して雇い入れた女だったが、あとで調べてみると、口入屋にしゃべった身の上はすべてでたらめで、どうにも素性の怪しい女であった。そのころ既に三十半ばの年齢だったが、通り過ぎる男の目を奪うほどに美しく、またあだっぽい女であったので、口入屋も目がくらんでしまったようだった。

最初のうち、お吉はよく働いた。とりわけ、まだ独り身だった浅一郎の世話をやくことには熱心だった。浅一郎も、お吉は美しかったから、悪い気はしなかったけれど、なにしろ歳は上だし、この女にはどことなしに気を許しがたいようなところがあるとは感じていた。

ただ、気の優しいのと人が好いのが取り柄のような血筋で、浅一郎は、お吉を邪険に扱うことはしなかった。それが、どうやら最初から浅一郎と葵屋の身代に対して野心を抱いて入り込んできたらしいお吉に対しては、非常によくない拍車になった。奉公を始めて半年ほどで、お吉は、自分はやがて浅一郎と夫婦になり、葵屋のお内儀におさまるのだと、勝手に思い込んで言いふらすようになってしまった。

葵屋にとっては困った事態だった。一方で、浅一郎とお由宇の縁談が進んでいたからである。そこで縁組が本決まりになる以前に、先代の主人はお吉を呼んで、お暇を出すことを言い渡した。

お吉は真っ青になって怒った。若旦那《わかだんな》とあたしのあいだを裂くんですかと、目を吊り上げて言い募った。父親が困り果てているのを見かねた浅一郎は、その場へ出ていって、お吉と私のあいだには何もない、すべてはおまえの勝手な思い込みだと、優しい人にしてはきっぱりと言い放った。

お吉の顔色が変わった。

あらそう、よござんすと、彼女は言った。そんならあたしにも考えがあります。あたしの気持ちを弄《もてあそ》んで捨てようったって、そうはいかない。今に、目にもの見せてやるから思い知るがいい！

呪いの言葉を吐き散らして、お吉は去った。葵屋には、嫌な後味が残った。

それから三月《みつき》後、浅一郎はお由宇を嫁に迎えた。お吉の呪いも、その後これといって成就する気配もなく、怪しい事どもも起こらず、まああれは捨て台詞《ぜりふ》だったのだろうと、皆が安心し始めていた。

やがて夫婦のあいだには赤子が生まれた。長男で、跡取りだ。葵屋は祝いの色に染め上げられた。誰もが浮き浮きとしていた。その隙をつかれて、わずかに目を離しているあいだに、赤子はさらわれてしまったのだった。まだ、名前さえついていなかった。

葵屋ではすぐにお上に訴え出た。土地の岡っ引きも力を貸してくれた。赤子をさらったのはお吉に違いない。あの執念深い女は、若夫婦のあいだに赤子が生まれるのを待っていて、こんな手ひどいことをやってのけたのだ。お吉が赤子をどうするつもりか、考えたくもないことだったが、とにかく彼女を探さなくてはならない。

お吉は我欲の塊のような女だったが、欲の割には賢くはなかった。そこここに足跡を残しており、三日もしないうちに、彼女の在所である押上村のはずれの荒れ果てた一軒家に、赤子と二人で潜んでいるらしいということがわかった。しかし駆けつけた追っ手をきわどいところでまいて、彼女は逃げ出した。

既に陽が落ちていた。あいにくの、曇りがちの新月の夜で、夜空には星がわずかに見えるだけだった。あたりは一面の畑と田圃《たんぼ》。あぜ道を走り、水路を飛び越えて、追っ手たちはお吉を探した。やがて、村の家の納屋に逃げ込んでいる彼女を、とうとう捕まえた。

お吉は一人で、赤子は連れていなかった。逃げるのに足手まといになったので、畑に捨ててきたとせせら笑うように言った。どっちにしろ、最初から殺そうと思っていたんだと言った。

追っ手たちと葵屋の人びとは、今度は赤ん坊探しにとりかかった。しかし赤子は見つからなかった。翌朝、村の北側の水路の取水口で、赤子の着ていた産着が柵《さく》に引っかかっているのが見つかっただけだった。

赤子は水に落ちて、流されてしまったのだろう。もう生きてはいるまい。人びとは肩を落として諦めた。心痛でお由宇は寝込んでしまい、すっかり健康を損ねて、もう赤子は望めない身体になってしまった。それまで何の災いもなく、幸せそのものだった葵屋の上に、暗い影が覆い被《かぶ》さってきたのだった。

捕らえられたお吉は、厳しいお調べで、葵屋の以前の奉公先では金を盗んでいたことなども判り、打首獄門に処せられた。首を打たれる直前に、彼女はギリギリと歯がみして、あのとき、本当は赤子を捨てたのではない、追っ手から逃れるあいだだけ、いっとき隠しておこうと、カボチャ畑のなかに寝かせておいたのだと、地団駄踏んで悔やしがったという。

逃げ回りながら、一度は赤子を取り返しに戻ったのだけれど、畑はどれもみんな同じように見えて、まだ青いカボチャが並んでいるのが、みんな赤子の頭のように見えて、見つけることができなかったのだ——そんなことも言ったという。あの赤子ときたら泣きもしなかった、泣き声を聞けばわかったのに、そうしたら、追っ手が駆けつけるよりも先に、あたしが飛んでいって首をとってやったのに。本当に水路に流れてしまったならばいい気味だけれど、やっぱりこの手で殺したかった、この手で憎い浅一郎夫婦の子供の首をひねってやりたかった、しくじった、ああ口惜しい——そう叫びながら、お吉は首をはねられた。

死ぬ間際の邪悪な思いがこの世に残ったからだろう、それから間もなく、浅一郎が寝起きしていた座敷の唐紙に、女の首のような形の染みが浮かび上がった。十日ほどで、それはははっきりと、お吉の生首の絵と変じた。

しかし不思議なことに、この生首の絵は、浅一郎とお由宇の目にしか見えないのだった。他の者の目には、まったく映らない。さらに、唐紙を替えても替えても、お祓《はら》いをしてもお経をあげても、何度でも同じように浮かび上がり、きりがない。

仕方なく、葵屋では浅一郎の座敷を封じて納戸にした。以来、女の首は、ずっとそこにあったのだった。

あまりのことにぽかんと口を開けている太郎をかき抱いて、浅一郎とお由宇は泣いたり笑ったりしている。その傍らで、差配さんとおかみさんは、それぞれに非難し合うみたいな顔をしてにらめっこをし、やがて、ため息をついておかみさんが話し出した。

「今まで隠しておいたのは、太郎にはこんなことを聞かせる必要はないと思ったからだよ。でも、こうなっちゃ話してあげないとね」

太郎は、亡くなったおっかさんの実の子ではない、赤子のときに拾われた子だ。差配さんとおかみさんは、おっかさんが店子《たなこ》としてやってきて間もなくそれを見抜き、おっかさんを問いただして本当のことを聞き出していたのだという。

十年前の夏のこと、押上村の南で田圃をつくって暮らしていたおっかさんは、ある夜、水路を流れてきた赤子を拾い上げた。まだ生まれて間もないように見えるその赤子は、すっかり身体が冷えていたが、どういうわけか、一緒に流れてきたカボチャの葉が、びっしりとからみあって、ちょうど船のように赤子の身体を乗せていたために、まったく溺《おぼ》れていなかった。

おっかさんはその年、梅雨の終わりの大水で、夫と一歳の男の子を亡くしたばっかりだった。寂しさに夜毎涙ぐんで暮らしていたおっかさんは、流れてきた赤子を、天からの授かりものと思って、こっそりと養い育てることにした。

赤子の名は、亡くした男の子と同じ太郎と名付けた。

赤子のことが知られると困るので、おっかさんはすぐに村を離れた。そして、太郎と二人、実の母子のふりをして暮らしてきたのだった。

「あんたのおっかさんは、本当にあんたのことを大事に想っていた。だからあたしらも、強いてあんたらを引き離すことはできなくて、黙っていたんだよ」

おかみさんはそう言ってまばたきをした。涙を隠そうとしたのかもしれなかった。

太郎はいっぺんにいろいろなことが判って、目が回りそうだった。亡くなったおっかさんがカボチャを拝んでいたのは、カボチャの葉のおかげで太郎が溺れなかったからなのだ。おいらは葵屋の子供だったのだ。旦那《だんな》さんとお内儀《かみ》さんがおとっつあんとおっかさんだったのだ。

そして何よりも、おいらの声だ――ずっと声が出なかった。それは、お吉が探しに戻ってきたときに、カボチャ畑の畝のあいだで、泣きもせず声もたてず、じっとしていて命を拾ったからだったのだ。おっかさんの言っていた〝カボチャの神様〟が、おいらがお吉に見つからないように、おいらの声を封じてくれたからだったのだ。

〝カボチャの神様〟は、本当にいたのだ。おっかさんは正しかった。〝カボチャの神様〟が、おいらを憐《あわ》れんで、おいらの命を守ってくださっていたんだ。

ほっとして泣けてきた、お由宇の腕のなかで、太郎はおいおいと泣いた。

「でも……喜んでばかりはいられねえな」

差配さんが、また鬼のようなごつい顔に戻って呟《つぶや》いた。

「太郎がこの家に戻って、お吉の霊魂も戻ってきた。昨夜、今度こそは逃がさないと言ったんだろう？　ここにいたらまずいんじゃないかい？」

一同は不安な顔と顔を見合わせた。しかし太郎は、ようよう落ち着いてきた胸をなだめながら、ふと、長屋を離れる夜、枕元に座っていた黄色い顔をした小さな人のことを思い出していた。そうか。あれは、あれはきっと――

「差配さん」と、太郎は言った。「おいら、考えがあります」


夜の闇は息苦しいほどに濃く重かった。今夜は鈴虫の声さえ聞こえない。

太郎は頭から夜着をかぶり、布団の上に縮こまっていた。お吉は来る、きっと来る。

点《つ》けっぱなしだった行灯《あんどん》が、つと消えた。

廊下との仕切の唐紙が、つうと開く。

来た。

「今度こそは逃がすものか。首をとってやる！」

しゃあというような叫びとも悲鳴ともつかない声をあげて、お吉の亡霊がつかみかかってきた。ざくりというような音がした。

それと同時に、太郎は夜着をはねのけて飛び起きた。お吉の生首は、両目を飛び出さんばかりに見開いて太郎の方を振り返った。鋭い歯を剝《む》き出しにして、その口は、ちょうど太郎の頭ほどの大きさのカボチャに食らいついている。太郎は、あらかじめ夜着の下にカボチャを戴《いただ》いて潜んでいたのだった。

「逃がすもんかは、こっちの台詞だ！」

一声叫んで、押入から差配さんと浅一郎が飛び出してきた。手に手に長い棒を持っている。太郎はお吉の首が逃げないように、やっとばかりに夜着を投げてかぶせると、しっかりととらまえた。差配さんたちが、その上から棒でやんやと打ち据える。明かりを持った手代も駆けつけてきて、足で踏んづける。

しばらくして、息を弾ませながら夜着をめくってみると、その下には、砕けたカボチャにくるみこまれるようにして、ひどく汚らしい綿埃《わたぼこり》のようなものが、手のひらいっぱい分ぐらい残されていた。差配さんはそれを集めると、庭に持ち出して油をかけ、一気に焼いてしまった。女の髪の毛を焼くような臭いがした。

「これでもう、大丈夫だろう」

差配さんの言葉は当たっていた。納戸部屋の女の首は消えてなくなり、二度と現れなくなった。

太郎は葵屋の一人息子として暮らし始めた。まだ、亡くなった懐かしいおっかさんのことが、しばしば思い出される。浅一郎とお由宇も、そんな太郎の心中を思いやって、差配さんに預けてあった位牌《いはい》を引き取って供養することを勧めた。

葵屋は、変わりなく繁盛している。ただひとつ、ここの家の者たちはカボチャを食わなくなった。神棚にはカボチャがあがっているが、けっして誰も食することはない。近隣の人びとは不思議がる。なんでまた、カボチャをと。

時雨鬼

新大橋を渡り猿子《さるこ》橋を越え、南六間堀町へさしかかったあたりで、爽《さわ》やかな秋晴れのはずの空が、急に暗くなってきた。見あげると、西から東へと雲が流れてゆく。どうやら時《し》雨《ぐ》れてくるらしい。

お信《のぶ》は小走りになった。おかみさんには、生家《うち》にいたころお世話になった差配人さんが危篤だという、ありもしない嘘をついて出てきたのだから、もとより、ぐずぐずしている余裕はない。日ごとに秋の色合いが深まり、ここ数日は朝夕など手足が冷えるほどだというのに、ちょっと走っただけで額に汗が浮く。これも心の内の有様《ありよう》のせいだと思うと、なおさら気が急《せ》いた。

角を折れて三間町に入ると、懐かしい桂庵《けいあん》の古看板が、すぐに目についた。お信はそこでわざと足を止め、自分を励まし踏み切るために、「男女御奉公人口入《くちいれ》所」と縦に並んだ漢字を繰り返し読んだ。

出入り口の障子は閉まっている。開けて入らねば来たことにはならない。このままくるりと踵《きびす》をめぐらせて帰れば、何事もなく加納《かのう》屋での奉公人暮らしが続いてゆくのだ。

身体が震えるような感じがした。耳たぶまで熱くなる。

お信は一瞬、目をつぶった。それから戸を開けて、ごめんくださいと訪《おとな》いをいれた。

狭い土間があって、あがり口のついた四畳半ほどの座敷。帳場格子に囲まれた小机と、積みあげられた帳面。五年前、ここの主人《あるじ》に加納屋への女中奉公を世話してもらった時と、ほとんど変わるところのない眺めだ。しかし、お信が知っている限りでは、日中店を開けているあいだは、この小机から動いたことがなかったはずの禿頭《はげあたま》の主人の姿は、今は見えない。色あせた藍《あい》紫の座布団が、寂しく敷かれているばかりである。

お信はもう一度、声をあげてごめんくださいと呼んだ。すると小机の後ろの暖簾《のれん》の奥から、「はあい」と女の声が応じた。

「ちょいとお待ち願いますよ」

女の声は、きびきびとそう続けた。お信は逸《はや》る心に急かれてじっとしておられず、土間をうろうろと歩き回った。

暖簾を分けて、切前髪《きりまえがみ》に派手な格子柄の着物を着た、ざっと四十ばかりの女がつと姿を現した。前掛けで手を拭《ふ》いている。

「あら、いらっしゃい」と、帳場格子の内側の、主人の座布団の上に膝《ひざ》をつきながら声をかける。「口入れのご用でおいでかね？」

ここでは一度も見かけたことのない女である。お信は何とかうなずいて、両手をもじもじと絞った。

女は愛想笑ぃをした。「それは気の毒なことをしたねえ。うちの人は、昨日から風邪で大熱を出して、うんうん唸《うな》りながら寝込んでいるんだよ。まったく鬼の霍乱《かくらん》だけれども、放っておくわけにもいかないからね」

それを聞いて、身体からふうと力が抜けた。もちろん落胆したからであるはずなのに、そこには安堵《あんど》の念のようなものも混じっている。

「そんな次第で、口入れの方はあの人が治るまではお世話できないけれど、訪ねて来た人には用向きを聞いておけと言われているんでね、表戸は開けてあるんだ」

「そうでしたか……」お信はおとなしくうなずいた。「あの、おかみさんですか」

「そうだよ。さんのつくほど洒落《しゃれ》た女じゃないけどさ」

女は笑って、前髪を揺らした。お信から見れば母親のような歳だろうが、顔立ちは美しい。華もある。しかし、五年前にはここの主人、富蔵《とみぞう》といううげんのいい名前の小金持ちだが、たしか独り者だったはずである。

お信の疑念を悟ったように、女は明るい声で訊《たず》ねた。「あんたはひょっとすると、先《せん》にもここへ来たことがあるんだね？」

「はい、五年前の出替わりのころに」

「それじゃ、あたしのことは知らないはずさ。あたしがここの主人と一緒になったのは、ほんの二年前だから」

女は言って、にぃと笑った。「爺《じい》さんと大年増《おおどしま》の所帯だから、今さら祝言も何もあったもんじゃないからね。お披露目もしなかったけれど、あたしはちゃんとここの女房なんだよ。怪しい者じゃないから、安心おし」

お信はあわてて首を振った。「そんな……疑っていたわけじゃありません」

「そうかい？　何やら不安そうな顔をしておいでだからね。後先《あとさき》になったけど、あたしの名前はつた。おかみさんなんて照れくさいから、おつたと呼んでくれれば結構だよ」

おつたは帳場格子のなかに座り直すと、横長の白い帳面を広げた。

「さっきも言ったけど、用向きだけならあたしが聞いて、亭主にちゃんと伝えておくよ。あたしの頭じゃあてにはならないけど、ここに書いておくからさ、忘れやしない。空足《からあし》を踏ませたんじゃ、気の毒だからね。新しい奉公先を探しておいでなんだろ？」

お信は、おつたが指で示した横長の帳面を、ちらりとのぞいた。ひらがなの大きな字で、何やらずらずらと書き並べてある。おつたが来客の用件を書き留めたものだろうが、まるで子供の手習帳のような眺めだ。自分の言うことも、同じようにしてこの字でここに書き留められるのかと思うと、顔から火が出るような気がした。

「いいえ、あたしはまた、出直してきます」

自然と尻込《しりご》みするようになって、お信は口のなかで呟《つぶや》いた。

「あれまあ、それじゃ、ところと名前だけでも教えておくれよ。先にも来たことがあるんじゃ、あんたはお得意だ。いい加減にあしらったら、あたしが亭主に叱られるもの」

「そんな……それでもあの……」

「奉公先は、急いでお探しなんだろう？　だってこんな半端な時期だもの。人減らしにでもあったのかえ？　うちの人が先に口利きしたお店《たな》なんだよねえ。この五年、あんたはそこに奉公しておいでだったんだね？　その口がなくなるというんだね？」

屈託も悪意もないおつたの口振りが、かえってお信の心に刺さった。嘘をつき慣れていないお信の口では、おつたのたたみかけるような問いかけに、とうてい太刀打ちできそうもない。

「あたしは、あの」お信はしどろもどろに言った。「五年前の二月に、下谷《したや》の加納屋という搗米《つきまい》屋の女中奉公の口をお世話していただきました」

「下谷の加納屋ねえ。ふうん」

「それが――お暇をいただくことに」

「五年も正直に務めてきたのに、急にお暇を？」おつたは顔をしかめた。「あんた、何かしら粗相でもしでかしたのかえ？　そんなふうには見えないけれど」

お信はうつむいた。おつたは興味深そうにじろじろとお信をながめまわしている。

「何か言いにくい事が隠れているんだね」そう言って、おつたは声を落とした。「何しろあんたは若い娘さんだし、器量も悪くない。その荒れた手を見れば、身を惜しまずに働く気質《たち》だということもよくわかる」

お信はとっさに両手を袖《そで》に隠した。

おつたは笑顔になって続けた。「あたしは見てのとおりの莫連女《ばくれん》だけれど、その分、女を見る目はあるつもりだから、ずけずけ言わせてもらうよ。もしかしてあんた、お店で何か、色恋のもめ事にでも巻き込まれたのじゃないのかえ？　それで急にお暇を下されるような羽目におなりじゃないのかね」

　お店のもめ事ではないけれど、色恋がらみというところは図星である。どきりとした。すっかり気を呑《の》まれてしまって、お信は硬くうつむいたまま黙っていた。

「身よりはあるのかえ？　おとっつあんやおっかさんは？」

「いえ、いません……」

「兄弟姉妹もいないんだね。それで口入屋を頼って来たんだ」おつたは乗り出して、帳場格子の上に手を置いた。「うちの亭主は、あんな髭鯨《ひげくじら》のような顔だけれど、どうして人望はあるらしくてねえ。あんただけじゃない、ほかにもそういう相談事を抱えてやってくるお客が結構いるんだよ。だから気を兼ねることはないからね」

　確かに、ここの主人は面倒見の良い人だった。顔が怖いのはおつたの言うとおりだが、その顔が笑うと、何とも温かいひょうきん面《づら》になることも、お信はよく覚えている。

　五年前にここに来たときには、前年の夏のコロリと秋の水害で、あいついで父母を失い、まだ十三歳の少女でありながら、天涯孤独の身の上になって、途方にくれていたお信であった。そんなお信の身の振り方を、ここの主人は親身になって考えてくれた。加納屋に奉公が決まったときには、古着のひとつも買えと言って、いくばくかの金を包んで持たせてくれた。

そんな親切が身にしみていたからこそ、今日ここを頼って来る気にもなったのだ。

「あたしは、あの」

お信は口を開いたが、上手《うま》く言葉が出てこない。頑《かたく》なに黙ったままでいては申し訳ないという気持ちと、胸のなかを打ち明けることの気恥ずかしさとで、身をふたつに裂かれるような思いだ。

「お店で――もめ事があるのじゃありません。加納屋の皆さんは、あたしのような端女中《はしため》に、本当によくしてくださいます。台所のことなんか、あたしは何も知らなかったのに、一から教えていただいて」

「あんたは台所女中なのかい」おつたは納得したようにうなずいた。「搗米は力仕事だから、大食らいが多いんだってね。さぞかし飯炊きが大変だろう」

お信は急いで首を振った。「搗米は本当に大変な力が要りますけれど、でもそんな大食いの人なんておりません。人並みです」

「そうなの。じゃ、朝に晩に一升食うの、赤子の頭の大きさのおにぎりがお八つだのというのは、川柳のなかだけのお話かねえ」

「ええ、ええ、そうですとも。加納屋の安さんも蓑《みの》さんも銀さんも、みんな口はきれいな方《ほう》です」

お信が力を込めて言い募るので、それがおかしいと言っておつたは大笑いをした。

「だけどいい話じゃないか。あんた、すっかりお店に馴染《なじ》んでいるんだね」

言われて、お信もちょっぴり笑った。台所女中の務めは楽ではないが、確かに加納屋はいいお店だ。今では、お信にとって唯一無二の家も同様の場所である。

だからこそ切ない。

「でも……」おつたが口元だけに笑みを残して、真顔に戻った。「そんな居心地のいいお店から、またどうしてあんたはお暇になるのだえ？」

話が始めのところに戻ってきた。どうでも打ち明けないことには、もう逃げられない雲行きだ。

「あたしは、奉公に何の不足もないのですけれど」お信はおずおずと言い出した。「もっと――良い給金をとれるところに替わった方がいい、うってつけのところを世話してやるというお話をもらったんです」

おつたはしげしげとお信の顔を見つめ直している。お信は下を向いた。

「あんたは加納屋のお給金に不満があるの」

お信は跳びあがる。「いいえ、とんでもない！」

「だろうねえ。だってあんたには、仕送りしなくちゃならない身内も、借金もないんだろ？」

「はい……ですけど……」

「もっと稼ぎたい理由が、ほかにできちまったんだね」

お信は黙ってうなずいた。

「中《あ》ててみせようか。それは男だろう」

わざわざうなずかなくても、おつたはお信の顔を見て察しているはずである。頬が熱い。

おつたは開いたままの帳面に目を落として、歌うように節回しを付け、長々と息を吐いて、ふうんと言った。

「もっと中ててみるなら、あんたにもっと稼げる奉公先の口をきこうというのも、その同じ男だね」

「はい」お信は小さな声で認めた。「同じ人です」

「つまりさ、ざっかけない話、その男――あんたの情男《いろ》は、あんたにもっと稼いで欲しいんだね。あんたのためじゃなくて、自分のためにさ」

「いいえ、違います。それは違います！」お信は帳場格子に両手をかけて身を乗り出した。それがあまりに凄《すご》い勢いだったので、格子に挟んであった蠟燭《ろうそく》立てを倒してしまい、それは机の向こうへ転がり落ちた。ごめんなさい、すみませんなどとあわてて拾い上げ、お信がそれを元通りに戻すのを、おつたは悠々と見物していた。そのあいだ、ずっと薄笑いを浮かべていた。

その場で走っているみたいに、はあはあ言いながらお信は続けた。「重太郎《しげたろう》さんはあたしのためを思って言ってくれてるんです。女中奉公なんて、若いうちはいいけど、歳がいったら務まるもんじゃない。働けるうちに稼げるだけ稼いでおあしを貯めて、ゆくゆくは表通りに小店の一軒も持ちたいなら、もっといい奉公先があるって。あの人はあたしよりずっと世慣れてるし、世間のこともよく知ってる。だから、本当にあたしのことを思って言ってくれてるんです。だいいちあの人は、柳橋じゃ人に知られた船頭で、だから稼ぎだって多くって、あたしなんぞをあてにしやしません。そんな情けない、だらしない人じゃないんです」

つんのめるようにして、ひと息に言ってのけたお信の顔を、おつたは可愛い子猫か子犬でもからかうような、笑みを含んだ目で見つめていた。そして小さくひとつ息をつくと、優しい声で尋ねた。「それでその重太郎さんとやらは、あんたにどこへ移れと勧めているのさ」

「浅草の——新鳥越町にある——」

「浅草ねえ」

「明月《めいげつ》という料理茶屋です」お信は言って、乾いた喉《のど》をごくりと鳴らした。「そこで、住み込みの仲居を欲しがっているんだそうです」

「仲居ねえ」

「ええ、お酌ぐらいはするそうですけど、お運びですから、あたしみたいなあか抜けない女でも大丈夫だって」

「それでも良い給金をくれようというんだね？　いくらぐらいさ」

重太郎の話では、年に五両ということだった。加納屋では年一両だから、比べものにならない大金である。

「五両ね」おつたは、さもあらんという顔でうなずいた。「ふうん、そりゃいい話だよ。いっそあたしが行きたいくらいだ。年増の仲居は要らないのかね」

笑っているけれど、鼻先から声が出ている。嘲《あざけ》っているのだ。お信は身を固くした。

「そうするとあんた、加納屋さんからお暇を出されたわけじゃない。あんたの方から加納屋を出ていこうというのだろ？　そうだね」

「――はい」

「そんならそうと、真っ直ぐにお言いよ。つまらない嘘をつかないでさ」

言いにくかったのだというような言い訳を、お信は口のなかでもごもご訴えたが、おつたは聞いてなどいない様子だった。

「それであんた、何が相談なんだい？　明月とやらへ移ると決めたのなら、べつだん、うちの亭主の耳垢《みみあか》をほじって報《しら》せるほどのことじゃない。加納屋には五年もいたのだし、あんたの都合でお暇をもらったって、口を利いた亭主の顔がつぶれるわけでもない。何を言いに、わざわざ下谷からこっちまで駆けてきたのさ？」

明らかに棘《とげ》のあるおつたの口調に、お信は怖くなってきたけれど、ちくちくやられれば腹も立つ。気がついたら言い返していた。

「べつに、何を訊《き》こうと思ったわけじゃありません。せっかく口利きをしてもらった恩があるから、ご挨拶《あいさつ》しようと思ったんですけど、そんな義理立ては要らないというのなら、さっさと帰ります」

意外なことに、あっはっはと声をたて歯を見せて、おつたは大笑いをした。

「何をそんなにとんがっているんだえ？　おかしな娘《こ》だね」

そして不意に身を乗り出すと、今度はおつたが帳場格子を両手でつかんだ。そして、お信の顔にくっつきそうなほどに顔を近づけ、内緒話のようにして言った。

「ねえ、ついでだからもうひとつ中ててあげよう。あんたはうちの亭主に、その明月という料理茶屋がどんなところか、そこに奉公したら、本当に仲居として働くだけでいいのか、それを訊《たず》ねにきたんだろう？　愛《いと》しい重太郎さんの言うことを信じちゃいるけれど、丸呑《まるの》みする気にも、ちょいとなれない。不安でしょうがないから、確かめに来たんだろう？」

ぐうの音も出なかった。おつたとお信では、うわばみとみみずくらいに器が違う。

「念には及ばない、訊くだけ野暮なくらいだけれど、あんた、その重太郎という男に惚《ほ》れているんだろう。だからこのおつたさんの言うことなんざ、右の耳から左の耳、かすりもせずに通り過ぎちまうんだろうけど、それでも言わないとあたしの気が済まないからね。それあんた、惚れた女が、せっかくまっとうなお店で正直に奉公をしているというのに、それをわざわざ料理茶屋なんかに鞍替《くらが》えさせようという男に、まともな男がいるものか。そんな奴は、女に稼がせててめえは遊んで暮らそうという、性根の腐ったろくでなしと、最初《はな》から底が割れてるよ」

お信は叫んだ。「そんなことないわ！　重太郎さんは——」

おつたは大声を出すわけでもないのに、やすやすとお信を遮った。「あんたに優しくしておくれなんだね？　帯留めのひとつも買ってくれたのかえ？　かんざし？　白粉《おしろい》？　まさか、雨の日にぬかるみに足をとられて鼻緒が切れて、往生しているところを、手拭《てぬぐ》いを裂いて直してもらったとかいうのじゃあるまいね？　お店《たな》のお遣いで遠出した帰りに、盛り場で破落戸《ごろつき》にからまれているのを助けてもらったというのでもあるまいね？　そんな出来過ぎた話で、あんたころりとまいっちまっているのかえ？」

　盛り場で破落戸に——というのは、的の真ん中だった。お信はまたぞろ言葉を失った。顔が上気して、伏せたまぶたの裏側まで熱くなるようだ。

「おやおや、とんだ金時《きんとき》の火事見舞いだ」おつたは手を打って喜んだ。「今時、そんな茶番に騙《だま》される町娘がいるなんて、まだまだお江戸は広いということだねえ」

　お信は泣きたくなってきた。こんなところ、来なければよかった。ほんのちょっとでも重太郎さんの言うことに不安を感じて、あの口入屋《くちいれ》の主人なら知恵を貸してくれるかもしれない、相談してみようなどと思い立ったのが間違いだ。

　それにしても、こんな大声でやりとりしているというのに、奥の方ではこそりとも人の気配がしない。富蔵の具合は、よっぽど悪いのだろうか。風邪は万病の元という。おつただっていつまでもお信を相手に油を売っていないで、病人の枕辺に戻ってやった方がいいじゃないか。なんでこんなにしつこくかまうのだろう。嫌らしいったらありゃしない。

「悪いことは言わないから、重太郎なんて男のことは、きっぱりと忘れておしまいよ」

　お信の半ベソをかいたような顔に、おつたは優しく語りかけた。

「あんただって、ちょっと頭を冷やして考えたら、あたしの言っていることが正しいとわかるはずだ。本当にあんたのことを想ってくれる男だったら、今の良い奉公先を引いて茶屋女になれなんて言うもんかね」

　お信はひるみそうになる自分の心をぐいと持ちあげて、頑固に口元を引き締めた。口先だけはやわらかだが、この人はあたしをバヵにしてるんだ。世間知らずの小娘だと舐《な》めてかかってるんだ。わかったようなことばかり言ってるけど、こんな女、これっぽかしも信用できるもんか。

「おやおや、むくれておいでだね」おつたはお信の顔をのぞきこむ。「あたしに腹を立てるのはかまわないよ。あんたの愛しい重太郎さんはろくでなしだなんて言われたら、そりゃあ面白くないだろうサ」

「会ったこともないくせに！」お信は、思わずヵッとなって嚙《か》みついた。「重太郎さんを知りもしないくせに、いい加減なことを言って！」

「確かに重太郎さんには会ったことはないよ」おつたはまったく動じなかった。「だけど、似たような男どものことならよく知ってる。もう、うんざりだっていうくらい知り抜いてるんだ。何しろあたしの人生のケチの付き始めは、あんたの重太郎さんみたいに優しい色男の口車に乗って、のこのこ後をついていってさ、挙げ句に十年年季で女郎屋に売り飛ばされることだったんだから」

　おつたは言って、短く笑った。今度はお信ではなく、自分の昔話を笑っているのだ。

「ついでに言っとくと、そのころあたしは十五だった。今のあんたよりまだ若い。男を見る目がなくたって、あんたより三歳分ぐらいは罪が軽いよ。それでも堕《お》ちた先は女郎屋だからね。こういうことは、一度間違うと、もう待ったなしなんだ。女なんて弱くって、自分にかまってくれる男には逆らえなくって、ずるずる引きずられて、結局は後戻りできないところまで行っちまう。あたしが見本さ」

おつたはぽんと胸を叩《たた》いた。目は真っ直ぐにお信を見ている。その顔にさまざまな表情が浮かんでは、また別のものに変わってゆく。笑うような、泣くような、怒るような。まるで、どんな顔をしたらお信に通じるか、一生懸命に試しているみたいだ。

お信は自分で自分につかまるように、着物の袖《そで》をつかんだ。あたし、恐ろしい。だけど、何がこんなに恐ろしいんだろう？　もっともっと腹を立てれば、この恐ろしさを消せるだろうか。

おつたはどこまでもお信の内心を見抜いて、容赦なくたたみかける。

「あんた怖がってるだろ？　だけど、あたしが怖がらせたわけじゃないよ。だって、あんた最初《はな》から怖がってたもの。さっきも言ったろ？　あんたがうちの亭主を訪ねてきたのは、明月って料理茶屋の素性を確かめるためだった。誰でもない、あんた本人が、愛しい重太郎さんの甘い甘いお話を、少しだけど疑ってるからさ。誰よりも、あんた自身がそれを知ってるはずだ。けっして悪いことじゃない。分別のあるしるしだものサ。それがあんたの、若いときのあたしとの違い。三つ分の歳の違いかもしれないし、おつむりの違いかもしれない。どっちかって言うと後の方だろうね、きっと」

お信は黙っていた。こんなふうに誉められたって、嬉《うれ》しくも何ともない。

気働きがある、よく気がつく、何でもすぐに覚えて手際がいい——そんな誉め言葉なら、加納屋でもしばしば頂戴《ちょうだい》する。だけどそれは、本当に誉められたことじゃない。ただ女中として出来がいいということを言われているだけで、お信でなくたって、同じようにできる者なら誰だっていいんだ。

でも、重太郎は違う。彼はお信だけを見つめてくれる。お信がこの世でいちばん大事だと言ってくれるのだ。そんな人には、今まで一人だって巡り会ったことはなかった。

おつたは、お信の顔を見守りながら、ふうっとため息をついた。

「あたしときたら、三十を過ぎてもまだ男に騙されることの繰り返しだったからさ。まったくねえ、あんたに説教できるような女じゃないんだよ。だけどさ——」

首をかしげる様子は、妙に娘むすめして見える。

「きっと良くないことになるってわかっているのに、放っておくのもねえ」

お信は半歩、後ろに下がった。ああ、もう嫌だ。

できるだけ憎々しげに聞こえるように、顎《あご》を持ちあげて言い放った。「余計な心配は要りません。重太郎さんは大丈夫です。あたしは加納屋を下がりますけど、旦那《だんな》さんにはよろしくお伝えくださいまし。お邪魔しました」

くるりと背中を向けて戸口へ出て初めて、雨が降り始めていることに気がついた。すっかり雲にふさがれてしまった空から、駆け足のような速さで冷たい雨が落ちてくる。

「おやまあ、時雨《しぐ》れてきたね」

おつたも土間へ降りてきて、お信の横に立った。すると、ごくかすかではあるけれど、彼女の身体から、何か金気くさいような嫌な匂いが漂うことに、お信は気づいた。ずいぶん変わった香だこと、と思った。

「妙だね……」おつたは雨足を見つめたまま、独り言のように呟《つぶや》いた。「こんなときに時雨《しぐれ》になるなんて。おかげで思い出しちまったよ、古い話を」

「古い話？」

「二十年近くも昔のお話だよ。ちょうどこんな時雨のときにね——あたしは——ちょいとおっかないものを見たことがあるのサ」

そんなことを言われれば、誰でも興味を惹《ひ》かれる。だが、そうやって引き留めるのが手だとわかっていたから、お信は何も言わなかった。

「たくさんの人間のなかにはね」

おつたは勝手に話を進める。

「自分の欲のためなら、親切そうな優しそうな顔をして、平気で他人を騙したり、殺すことのできるような連中がいるんだよ。そういう奴らは、いかにも人間らしいきれいな顔の下に、鬼の本性を隠してるんだ」

囁《ささや》くような小声。淡々と静かな口調だった。

「二十年近くも昔、そうこの深川のあたりがまだ朱引きの内に入らずに、下総《しもうさ》の代官差配地だったころのことさ。あんた、十万坪とか六万坪とか呼ばれている、猿江や大島の新田の方へ行ったことはあるかい？　あっちはずいぶん鄙《ひな》びているけれど、それでも今は武家屋敷がずいぶんあるだろ。あのころはもっともっと何にもなくてさ、大きなお屋敷と言ったら一橋《ひとつばし》様があるっきりで、あとは広々と田圃《たんぼ》があるばっかり。ひとつの地主の家から次の地主の家まで、半町も歩かないとならないんだ。夏は油照りでたまらないし、冬の空っ風といったら目も開けられない。そのかわり梅林は見事でね。春には目も洗われるようだった。朝に晩に、青い堀割に沿って、満開の梅の花の上を、都鳥が群をなして飛んで行く。極楽の眺めってのは、こういうのを言うのかなって思ったくらいだったよ」

その光景がまぶたに浮かぶと言いたげに、おつたは目を細めた。

「そのころあたしは――ちょいとばかり江戸にいられない事情があって、名前も変えて、身元もでっちあげて、亀戸《かめいど》村のある地主の家で、住み込みの女中奉公をしていたんだよ。田舎のことだから、ちゃんとした請人《うけにん》証書なんかなくても転がりこむことができて、あたしには好都合だったんだ。古い話だけど、その地主の家は今も栄えているから、名前は勘弁しておくれね」

おつたは言って、お信の方を見ると、ちょっと微笑んだ。するとまた、さっきの金気くさいような匂いが、ほのかに漂った。彼女の息から匂うのかもしれなかった。

「その家には、米寿を祝ったばかりのご隠居さんがいてね。おそろしい年寄りさ。ほとんで暮らしていたんだけど、あたしはときどきおかみさんのお手伝いをして、それで、離れで一人ど寝床から出ることのできない暮らしで、頭の方もだいぶ弱ってた。それで、離れで一人で暮らしていたんだけど、あたしはときどきおかみさんのお手伝いをして、そのご隠居さんの世話をしてたんだ」

ご隠居はおとなしい人だったが、時折、おかしなことを口走る癖があった。
「何かと言ったらね、鬼が見えるって言うんだ。離れの窓からは、狭い庭と堀割越しに、田圃が一面に見渡せるんだけど、その一角に溜池《ためいけ》があって、ぐるりはきれいな梅林になっていた。その梅林のなかに、鬼がぽつねんと立っているのが見えるって言うのさ」

さすがに興味を惹かれて、お信は訊《たず》ねた。「昼間からですか?」

おつたはうなずいた。「昼間だよ。だって夜は真っ暗だものね。お天道さまの下に、頭から二本角をはやした、ひと目でそれとわかる鬼がいるっていうのサ。たいていは鬼が一匹だけだけど、時には小作人たちのあいだに混じったりしていて、でも、誰もその鬼には気がつかないんだって。おかしな話だろ?」

おつたが初めてその話を聞かされたのは、まさに梅の盛りの春のことだったそうである。彼女は前年の末にこの地主の屋敷に入り込んでいたので、そのころはようやく女中暮らしにも慣れてきたばかりだったから、何を聞いてもはいはいと、おとなしく頭を垂れていた。
「地主のお屋敷の人たちも、ご隠居さんの言うことを真に受けてはいないようだった。だから年寄りのうわごとだって、聞き流していれば済んでしまった。ところがね――」

夏を越し秋が来て、日に日に昼が短くなったと感じられるころ、ご隠居は急に身体が弱り、あっけなく逝《い》ってしまった。

「離れを取り片づけることになって、あたしはけっこう忙《せわ》しなく過ごした。そして一段落したころに、なんとなく——本当に何ということがあったわけじゃないんだけど、ご隠居さんが言っていた鬼のことが気になってね。ご隠居さんには、本当に何か見えてたのかなって、無性に知りたくなって、梅林の方まで行ってみたのさ」

それまでにもおつたは、屋敷の用人に言いつけられて遣いに出たりしていたから、小作人たちの小屋の方まで行ったこともあったし、実はこの梅林のあたりを歩いたこともあった。それでも、ご隠居の言葉を裏付けるものを探すような気持ちになったのは、このときが初めてだった。

「実を言うと、おっかなかったんだ」と、おつたは小さな声で言った。「ご隠居さんの亡くなり方が、あんまり急だったもんでね。もしかしたら、ご隠居さんだけに見えていた鬼が、見られていることに気づいて、ご隠居さんをとり殺してしまったんじゃないかって思ってサ」

庭を回っておつたが田圃のあぜ道の方へ出てゆくと、さわさわと雨が降り出した。

「時雨れてきたんだよ」

おつたはここで、また戸外を見た。銀の粉のような雨を見た。

「ちょうどこんな具合だった」

あぜ道を歩いて行くあいだにも、どんどん雨足は強くなる。空を見上げて、引き返そうかとためらったが、何かに引っ張られるようにして、結局おつたは梅林の方まで走ってしまった。

刈り入れの早いそのあたりの田圃はすっかり収穫も終わり、周囲はがらんとだだっ広いばかりだ。小作人たちも出ていない。もちろん梅林も花の時期ではないから、全体にやせ衰えたような寒々しい姿で、ただどこかで遠く鳥が鳴いていた。

おつたは独りぼっちだった。

「そこであたしは」

くっきりと美しい横顔を見せて、おつたは言った。

「鬼に会ったんだ」

梅林のなかに、ふと気がついたら居たのだという。時雨に濡《ぬ》れてしょぼしょぼと、鬼は寒そうで、ひもじそうで、ひどく悲しそうだった。

「それでも、とてつもなく忌まわしかった」

おつたは続けて、つと目を閉じた。

「あたしはそれで、思わず言った。ああ、あんたは鬼だね、雨に打たれて、人間の仮面が溶けちまったんだろう」

そして、後も見ずに逃げ出した。

「あぜ道の途中で振り返ってみたけれど、溜池の水面に梅林が映って、あたりは白く雨にけぶっているだけで、鬼の影も人の影も、何も見えはしなかった。だけどあたしは確かに鬼に会ったのだし、鬼と目があったって思っているんだ」

そこで、おつたは黙った。続きがあるわけではなさそうだった。

薄気味悪い話ではあるが、おさまりの悪い話でもある。鬼が追ってきて騒動になったというわけでもないし、鬼の正体が後になってわかったというわけでもない。脈絡がないようだ。お信は居心地の悪い思いをした。合いの手も入れようがない。

おつたはそれを察したのか、お信を見返ってにっと笑った。「つまらない話をしちまったね。時雨を見ると思い出すのサ」

「あたし、もう帰らないと」

「そうだろうね。うちの人には伝えておくよ。会えなくて済まなかったね」

時雨はじきにおさまるものだし、実際に雨は小降りになってきていたから、お信は何度も辞退したのだが、おつたは傘を貸してやると言ってきかなかった。そして、くれぐれも鬼のことを忘れるな、連中は人の皮をかぶってるんだからねと念を押した。何だか、それまでの話の筋道を見失ってしまったように、鬼のことばかり言う。それが剣呑《けんのん》で、お信は最後には逃げ出すようにして桂庵を離れた。走りたかったので、結局は傘もささずじまいであった。


それから二日後のことである。

お信が台所で青菜を茹《ゆ》でていると、女中頭のおしまが子細ありげに眉根《まゆね》を寄せて近づいてきて、深川の政五郎という岡っ引きの手下《てか》が、あんたに訊《き》きたいことがあると言って訪ねてきてる、ちょいとおいでと手招きした。深川と聞いてお信はどきりとしたが、もとより桂庵《けいあん》を訪ねたことは内緒であるから、おとなしくおしまに従って勝手口から外に出た。

岡っ引きの手下というのは豆粒のように小柄な男で、歳はせいぜい二十歳ぐらいだろう。粋《いき》がっているのか生来こういう顔つきなのか、右の口の端が打ち損ねた釘《くぎ》みたいに曲がっている。その口が開いて、邪魔して済まねえあんたがお信さんだねと、意外にやわらかい声が出た。

「ちょいと内緒で話したいんでね、お信さんをお借りしますよ」

小粒な手下はそう言って、おしまを遠ざけた。女中頭が不満そうな顔つきで立ち去ると、手下は声を落とし、その分、半歩ほどお信に近づいた。

「一昨日《おとつい》の午《ひる》過ぎ、あんた深川三間町の桂庵へ行ったね？　手間をとらせねえで、真っ直ぐに話してくれよ。こちとら商売柄で、あんたがあすこを訪ねたことは、とっくに調べてあるんだ。あんたの顔を、見知っていた者がいたんだからよ」

お信は足元から震えあがってしまい、すぐに正直に白状した。はい、確かに参りました。

「加納屋に奉公しているのに、また何をしに行ったんだい？」

お信が返事をためらうと、手下は気短そうに舌を鳴らして、

「そんなら、別のことを訊こう。あんたそのとき、主人の富蔵に会ったかい？」

「風邪をひいて寝込んでいるとかで、会えませんでした。会ったのはおかみさんだけで

す」

お信の返事に、手下の曲がっていない方の口の端も吊り上がった。「おかゝ、み、さん？」

「はい。おつたさんという人で――」

手下の口の端ばかりか、両目の端まで吊り上がるようなので、なぜ相手が驚くのかわからないまま、お信は一生懸命に説明した。四十路《よそじ》ばかりの婀娜《あだ》っぽい大年増で、切前髪を散らして格子柄の着物を着て――

「おいおい、ちょっと待ってくれ」

手下は乱暴にお信を遮った。そのまま、どこか痛いところでもあるみたいに大げさに顔をしかめて固まっていたが、

「あんたが三間町に行ったのは、本当に一昨日の午過ぎなんだな？」と、念を押すようにして訊ねた。

「はい、間違いありません。加納屋へ帰ってきたら、浅草寺《せんそうじ》の鐘が八ツを打ち始めて――そうそう、あたしが三間町へ行って間もなく降りだした時雨《しぐれ》が、大川を渡るころにはやんでいました」

確かに一昨日は九ツ過ぎに時雨が降った、半刻《はんとき》ばかり盛んに降ってやんだ――手下は口のなかでぶつぶつ呟《つぶや》く。

「いったい、何事でございますか？」お信はさすがに焦《じ》れてきた。

岡っ引きの手下はまじまじとお信を見つめて、呆《あき》れたような声を出した。「どうもおま

えさんの驚きっぷりは本当のようだ。何も知らないんだな」

三間町の桂庵の主人富蔵は、一昨日の日暮れ時、店の奥の小座敷で首を刺されて死んでいるのを、訪ねてきた者が見つけたのだという。

「一昨日の日暮れ時？　じゃあ――」

両手で口を押さえたお信だったが、手下はおっかぶせるように言った。「驚くのはまだ早いよ。見つかったのは日暮れだが、検視のお役人のお調べで、殺されたのはさらにその前、どれほど遅く見積もっても、先一昨日の夜中までだろうという話だ。なにしろ、亡骸《なきがら》は臭い始めていたからな。家のなかは荒らされて、金目のものは洗い浚《ざら》い盗《と》られていた。どうして非道なことをやったもんだぜ」

お信は目を見張った。人殺し。物盗り。

鬼のような所業だ。

「あんたが訪ねて行ったとき、奥の座敷には富蔵の亡骸が転がっていたんだよ。ついでに言うが、やっこさんは独り身だ。かみさんなんざいないよ」

「それじゃ――」

「そのおつたという女は、盗人の一味だろう。どうでも女一人でできる荒事じゃねえからな。口から出任せを並べて留守番をして、近所の者たちに、富蔵が殺されたことを悟らせないように芝居をうっていたんだ。そうやって時間を稼げば、ゆっくりと家捜しできらぁな。富蔵は小金を貯め込んでいるってんで、近所でも知られていたが、用心のつもりか、金を小分けにして、家じゅうのあっちこっちに少しずつ隠していたらしい。それがかえって仇《あだ》になっちまったようだ」

お信はやっとこさ口を開いて、声を出した。

「そんな……信じられない」

「だろうなぁ。あんたも危ないところだったぜ。下手すりゃ奥に引きずり込まれて、口をふさがれるところだったかもしれねえ」

「だけど、帰るというあたしを引き留めたのは、そのおつたさんて人の方だったんですよ？　なんでそんなことをしたんです？　おかしいじゃないですか」

手下は曲がった釘のような口元を、得意そうにぐいと吊り上げた。「さっきの話によると、あんた、ところも名前も言わずに帰ろうとしたんだろう？　だから引き留められたんだよ」

「どうして？」

「おつたって女が、訪ねて来た者のところと名前を聞いて書き留めていたっていうのは、誰がおつたの顔を見たのか、ちゃんと知っておくためだよ。その方が、あとあと安心だからな」

そうだろうか。本当にそれだけだろうか。おつたはそれだけのために、わざわざお信を引き留めて、色事の悩みだろうなんて持ちかけて、あんな長話をしたのだろうか。

鬼の話なんかしたのだろうか。

こいつぁ手強《てごわ》い悪党どもだぜ——と、手下は悔しそうにまた舌を鳴らしたが、何だか奮い立っているように見えなくもなかった。

「おつたという女は大事な手がかりだ。親分も一緒に、俺はすぐ引っ返して来るから、もっと細かいことを聞かせてくれ。人相書きをつくるんだ。どこへも行っちゃいけないよ。神妙に知っていることを話してくれりゃ、あんたが困るようなことは何もねえ」

お信は震えながらはいと答えたが、手下が今にも尻《しり》っぱしょりして走りだそうという背中に、あわてて声をかけた。

「あの、あたし傘を借りました！」

「富蔵のところでかい？」

「はい。おつたさんが——いえ、おつたという女の人が貸してくれたんです」

すぐに見せろというので、お信は飛んでいって傘を取ってきた。古ぼけた番傘で、何がどうということもない。

「広げていいかい？」

「ええ、どうぞ」

傘を広げると、若い手下はおうと声をあげた。お信は息を呑《の》んだ。

広げた傘の内側には、点々と黒い染みが飛び散っていた。

「こいつぁ、血しぶきの痕《あと》だ」

手下はますます勇み立つようである。

「大事な品物だから、預からせてもらうよ。あんたも災難だが、いいな、くれぐれも言って聞かせるが、関わりを嫌って逃げるようなことをしちゃいけねえよ。うちの親分はそこらの小ずるい岡っ引きとは違う。余計な心配は要らねえんだからな」

お信はすっかり恐れ入ってしまって、ただぺこぺこと頭を下げることしかできなかった。

手下が走り去り、勝手口のところで一人になると、めまいがするような感じがして、その場にしゃがみこんで膝《ひざ》を抱えた。

おつたは――

(たくさんの人間のなかにはね)

人間の皮をかぶった鬼が混じっていると言った。

(人間らしいきれいな顔の下に、鬼の本性を隠してるんだ)

平気で人を騙《だま》したり、殺したりする。

(あたしが見本さ)

恐ろしさと悲しさで、お信はじっとその場にうずくまっていた。何を聞くのも恐ろしく、顔を上げるのさえ厭《いと》わしい。この世はいつから、こんな場所になってしまったのだろうか。ぎゅっと身を固めているうちに、今日もまた空がにわかに翳《かげ》りだし、やがて雨が降り始めた。時雨だ。秋の日に付き物の、気まぐれで早足の冷たい小雨。

つい一昨日、何か思い詰めたようにくっきりとした横顔を見せて、時雨を見つめていたおつたを思い出す。ああ、そういえば、あの身体から感じた金気の臭い。あれは風変わりな香などではなく、屍《しかばね》と血の匂いだったのじゃなかろうか。

ぱらぱらと降り落ちる雨粒は、お信の頬に冷たく跳ね返る。

お信は手の甲で顔を拭《ぬぐ》いながら、台所へと引き返した。髪も顔も濡《ぬ》れているのに、あまりにも驚いたせいで、喉《のど》は渇いて苦しいほどだ。勝手口を入ってすぐのところにある水瓶《みずがめ》の蓋《ふた》を開けて、柄杓《ひしゃく》を手に取った。するとお信の顔が、瓶の縁まで一杯になっている水のおもてに、きれいに映った。

そのとたん、あっと声を出しそうになり、思わず柄杓を取り落とした。柄杓は水瓶の縁にあたり、カランと軽い音がした。

鄙《ひな》びた田圃《たんぼ》のなかの溜池《ためいけ》と、それを取り囲む梅林。時雨《しぐれ》に煙るそのなかで、おつたは鬼に会ったという。鬼と目があったという。

だが、その鬼の正体は、ちょうどこんなふうにして溜池の水面《みなも》に映った、おつた自身の顔ではなかったのか。ご隠居が遠目に見たと訴えた鬼も、梅林に立つおつたの姿、小作人たちに混じるおつたの姿、彼女そのものではなかったのか。

冷たい時雨に人の皮という仮面を溶かされて、露《あら》わに佇《たたず》む鬼の姿ではなかったのか。

「お信ちゃん!」

呼びかけられて、お信は声が出ないほどに驚いた。

「重太郎さん……」

額に小手をかざして雨を避け、着物の裾《すそ》をからげて、重太郎は近づいてきた。

「おしまさんに見つかったら叱られるわ」

「わかっちゃいるけど、会いたくて辛抱ができないんだ」

あれこれと言葉を並べながら、彼はお信を抱き寄せた。鬢《びん》付け油の強い香りがして、彼の堅い腕が背中に触れるのを、お信は感じた。

「どうしたんだよ、震えてるじゃねえか。こんなところで雨にかかってさ」

重太郎は心配そうにお信の顔をのぞきこみ、うなじのあたりを撫《な》でたり、温めるように肩をさすってくれたりする。そのあいだにもしきりに甘い声で話しかけていたが、やがて、下からすくうようにお信を抱きしめながら、耳元で囁《ささや》いた。

「お信ちゃんが明月で働くようになれば、こんな気兼ねなんぞしないで、好きなときに会えるのにな」

重太郎の呼気が、お信の耳たぶをくすぐった。

「先方も、一日でも早く来て欲しいって、待ちかねてるんだ。どうだい、気持ちは決まったかい？　それも聞きたくって急いで来たのに、ここで雨とはお天道さまも野暮だぜ。いや、こうしていれば、かえって野暮じゃねえか」

出し抜けに、お信は声をあげて泣き出したくなった。しゃにむに腕を振り回し、重太郎に殴りかかりたくなった。暴れて叫んで、問いつめてやりたい。あなたの言うことは本当なの？　あなたはあたしを騙しているの？　あなたは鬼なの？　鬼じゃないの？

あたしは何を信じたらいいの？

「どうしたんだよ、お信ちゃん。涙なんかためてさ」

宥《なだ》めるように重太郎は言って、ちょっと身を離すと、懐から何か、布に包まれた小さなものを取り出した。

「そら、これを見てくれよ。先に夜市で見つけたんだ。けっして高いもんじゃねえけど、きれいだろ？　これをかんざしに仕立てたら、お信ちゃんの髪によく合うよ」

彼が目の前に差し出したのは、飴玉《あめだま》ほどの大きさの、血のような紅色の玉だった。すべすべに磨かれている。お信は手を出すこともなく、ただそれを見つめていた。そこにまた、小さく自分の顔が映っている。

お信の顔。人間の顔だ。

今はまだ。

「明月で働くなら、仲居だってこういう小洒落《こじゃれ》たかんざしぐらい付けなきゃな」

重太郎の声を聞きながら、お信は考えた。さっきの小粒な手下《てか》が言っていた政五郎親分というのは、本当に話のわかるお人だろうか。だったら、富蔵を訪ねた理由をありていに打ち明けて、重太郎のことも、新鳥越町の明月のことも、相談したら聞いてくれるだろうか。もののわかった政五郎親分も、お店《たな》務めをわざわざ辞めさせようとするような男に、ろくな男はいないと言うだろうか。

わからない。何もわからない。お信はやっぱり重太郎が好きだから。

それでも、おつたの言葉は心に残っている。消えない。消せない。だってあれは——おつたという鬼が、手遅れにならないうちに、あたしのような鬼にならないうちに、間違いを正せと残してくれた言葉なのだから。

重太郎の肩越しに、お信は時雨を見つめていた。ずっと降って、もっと降って、地面に水たまりができたなら、そこに二人の顔を、肩を並べて映してみようか。

さわさわと降り続く小雨のなかに、人ではない異形のものが、静かに静かに佇んでいる。時雨の見せる幻が、お信に向かってゆっくりと首を振る。

お信は両手で顔を覆った。

灰神楽

本所元町《ほんじょもとまち》の政五郎のもとへ、桐生町《きりゅうちょう》五丁目の平良屋《たいらや》から、奉公人がお店《たな》のなかで刃傷沙汰《にんじょうざた》を起こした、すぐ来てもらえまいかという遣いが来たのは、ちょうど冬至《とうじ》の日の朝の、まだ夜明け前のことであった。

小僧に起こされて、とるものもとりあえず寝間着のまま勝手口に出ていくと、火を入れた提灯《ちょうちん》の柄を両手でつかんでつかまるようにして、やはり寝間着の上に綿入れを着込んだだけの、小柄な老人が立っていた。平良屋は神田鍛冶町《かんだかじちょう》に本店《ほんだな》のある下駄屋の出店で、桐生町の方は、主人一家と奉公人をあわせても十人足らずの小さな所帯であるはずだ。それでも、顔を見てすぐに名前がわかるほど、ここと深い付き合いのあるようなお店ではない。

番頭さんですかと政五郎が尋ねると、老人はひどく寒そうにぶるぶると震えながら頭を下げて、番頭の箕助《みのすけ》でございます、朝早くから申し訳ございません、かすかすとつっかえる声で、やっとそう言った。

「なんの、礼には及びません。騒ぎの方は、今はおさまっているんですかい」

「はい、不埒者《ふらちもの》は、私どもで取り押さえて押し込めてございます」

「怪我人はどうです。医者を呼ぶ算段はしておありで」

「おかみさんが疝気《せんき》の治療をしていただいている先生をお呼びしに、女中を遣《や》っております」

「本所の先生で？」

「いいえ、神田の方で。本家の――」

皆まで言わせずに、政五郎はなるほどと遮った。本家と付き合いのある町医者ならば、刃傷沙汰がどういう種類のものであるにしろ、いずれ引き合いを抜くときにも面倒はあるまい。政五郎は安心した。当面はまず、駆けつけることしかこちらの用はないようだった。

急いで着替えを済ませ、手拭《てぬぐ》いで顔を拭《ふ》いていると、ようよう明け六ッの鐘が聞こえてきた。くぐもったような音色である。おっつけ傘が要る天気になるかもしれない。

支度を終えて勝手口へ出てゆくと、老番頭は明かりを消して畳んだ提灯を脇に、土間のあがりかまちに腰をおろして、大ぶりの湯飲みを両手で包んでいた。湯飲みからは、温かそうな湯気がたちのぼっている。

これは政五郎の女房のはからいである。今回は相手が老人のことだから、湯飲みの中身は白湯《さゆ》だろう。駆け込んできたのが子供や女だったならば飴湯《あめゆ》を出す。甘いものは、取り乱しやすい女子供を鎮める働きを持っているからだ。働き盛りの男が駆け込んできた場合には、それが真冬の真夜中であっても、何も出さない。酒などもってのほかだ。そのへんの呼吸を、政五郎の女房はよく心得ていた。秋口から冬場には、手元の火種はけっして絶やさず、そのためには夜中に何度も起きて、鉄瓶に水をさし足すという手間をかけても、いつでも熱い湯を出せるようにしてあるなどというのも、人によっては小癪《こしやく》に感じるほどの周到さである。

「やあ、少し温まりなすったね。顔色が良くなった。行きましょうか」

政五郎は箕助を励ますように声をかけた。

「騒ぎが収まっているとはいえ、お店の皆さんはさぞやご心痛でしょうから、とっとと参りましょう。それでも、もう、あわてちゃいけませんよ。よろしゅうござんすね」

夜が明ければ、人目もある。箕助の顔を見知った人びとが、老番頭が血相をかえて岡っ引きと一緒に走っている様子など目にすれば、嫌でも噂になってしまう。箕助はさすがに年期のいったお店者で、すぐとそのへんの含みを悟ったらしく、はいとおとなしく頭を下げて、政五郎に従った。

元町と桐生町の五丁目は、大人の足なら一走りの距離である。それに、早朝や深夜の人声というのは、思いの外遠くまで聞こえるものだから、しゃべりながらの道行きは不用心だ。政五郎はすいすいと歩いて、平良屋を目指した。竪川《たて》は空を移して鈍色《にびいろ》にどんよりと淀《よど》んでいる。今朝はまだ川鵜《かわう》の姿も見えない。水面を撫《な》でて、鼻先にツンとしみる冷たい風が吹きつけてくる。

桐生町の平良屋はつい二月《ふたつき》ほど前、並びの蕎麦《そば》屋から出た小火《ぼや》のあおりを喰《く》い、勝手口から台所の方にかけて、普請直しをしたばかりである。政五郎が勝手口をくぐると、真新しい木の匂いが、かすかだがまだ鼻先に匂った。そこで待ち受けていた小女《こおんな》に、すぐに座敷の方へと通される。さほど大きな家ではないから、主人とおかみがばたばたとやってくる足音がよく聞こえた。

　主人夫婦と顔を合わせて、政五郎は驚いた。若いのである。夫婦そろって、まだ三十路《みそじ》に至っていないだろう。主人は青ざめており、おかみは泣き顔だ。とりあえず挨拶《あいさつ》を済ませて、政五郎はすぐに怪我人の様子を見せてほしいと言った。

「こちらでございます。お見苦しくて申し訳ないのですが、私どもの寝所に運びましたもので」

　ふっくらとした夜着に顎《あご》の先まで埋めて、ごく若い男が横になっている。顔は洗い晒《ざら》したように色を失っているが、目は開いていて、政五郎を見ると起きあがろうとしたから、それには及ばないと止めた。

「これは私の弟の善吉《ぜんきち》でございます」平良屋の若い主人は、布団の頭の方へにじり寄りながら、こわばった顔でそう言った。「神田の本家の者ですが、一昨日《おとつい》からこちらへ泊まりに来ておりました」

「怪我の具合はいかがです？　見せていただけますかね」

　おかみが夜着をめくると、善吉の胸のあたりまでがあらわになった。寝間着の襟をはだけて、その下に、手拭いと晒《さらし》がぐるぐると巻き付けてある。あちらにもこちらにも血がにじんでいるが、どうしてそれほどの傷ではないと、政五郎は見てとった。切り傷、それも浅いものばかりで、刺し傷や突き傷はないようである。

「胸のほうも――」と、主人が弟の腕をそっと持ち上げた。こちらも切り傷ばかりだ。

「刃物を避けようとなすったんですね」

「はい」と、善吉は力無く言った。「なにしろ、眠っているところをいきなり斬りつけられましたので、たまげるばかりで」

政五郎はいたわるようにうなずいて見せたが、善吉の言うことを丸飲みにしたわけではなかった。本当に、ぐっすり眠っているところを出し抜けに斬りつけられたのだったら、この程度の傷で済むわけがない。

「下手人は押し込めてあるそうですが、こちらの奉公人なんですね」

「はい」若い主人夫婦は、顔と顔を見合わせて、はあとため息を吐いた。「まったく、いったいどうしてしまったのか……」

「おこまという女中で」と、おかみが涙目のままでとつとつと言った。「わたしが嫁に参りましたときに、実家《さと》から一緒についてきた奉公人なのです」

「お二人が所帯をもたれて、それで、平良屋さんはここへ出店を出されたわけですね？」

夫婦はうなずいた。「はい」

「そうしますと何年になるんですかね」

「二年でございます」

「おかみさんのお実家も商いを？」

「はい、本郷の薬種問屋でございます」

「おこまはいくつです」

「二十歳でございます。わたしより二つ下で、ですから妹のようにも思っておりました。なにしろ、物心ついたときからずっとそばについていていてくれましたもので」

「前置きは抜きでうかがいますんで、お怒りになりませんように。善吉さんは、おこまに斬りつけられるような覚えがおありで？」

善吉は、不安そうに兄の顔を仰いだ。平良屋の主人も弟の顔を見つめた。おかみは二人を見比べている。こうしてみると、兄弟は面差しがよく似ていた。さらに、おかみも何となく、顔立ちに二人と共通するものがある。

「私には、まったく身に覚えがないのです」

傷が痛むのか、善吉は顔をしかめながら答えた。仰向《あおむ》いて、しかも傷に障らないようにそろそろとしゃべるので、力の入っていない声である。

「男が女に斬りつけられたのだから、身に覚えがないなどと言っても嘘臭く聞こえることは承知しています。それでも、おこまの顔を間近に見たのも、あれと話をしたのも、あれの名前を知ったのさえ、一昨日こちらに泊まりに来たときが、初めてだったのです」

政五郎は微笑した。「そう身構えることはございませんよ。なんの咎《とが》がなくても刃傷沙汰に巻き込まれることだってあるもんです」

善吉は弱々しく笑った。それでほっとしたのか、主人夫婦も安堵《あんど》の笑顔になった。

「ただ、ごめんなさいよ、なんでまた、本家からこちらに来て泊まっていらしたんです？　神田と本所の距離じゃ、酔いつぶれて帰れなかったということでもないでしょうに」

善吉は困ったように目をしばしばさせた。平良屋の主人は、いかにも面倒見のいい兄の風情で、膝《ひざ》を乗り出した。

「私は平良屋本家の次男で、善吉は三男でございます。本家の跡取りの長兄は厳しい人でして——善吉は商いの手伝いをしているのですが、立場としては冷や飯食い。何かと針のむしろなのです。それで、一昨日のことですが、とうとう我慢が切れて喧嘩《けんか》をしてしまったのだそうです。それでこちらに……」

「そういうことでしたか」政五郎は笑ってみせた。「よくわかりました。さて、おっつけ医者の先生が見えるのでしょう？　それなら心配はない。先生の言うことをよくきいて無理をしなければ、大丈夫、このくらいの傷ならきれいによくなりますよ」

そう言って、政五郎は立ち上がった。

「それじゃ、おこまに会わせてもらいましょうか」

おこまは納戸に押し込められていた。

手足を手拭いで縛られている。口にも手拭いが咬《か》ませてある。納戸のなかには木箱だの行李《こうり》だのがたくさん積み上げられており、おこまの身体はその隙間にぎゅうと挟まれるような格好になっていて、しかも横倒しになっているので、明かりをもらってのぞきこまなくては、顔さえ見えなかった。

　政五郎が呼びかけても、おこまは返事をしなかった。俺は十手持ちだぞ、おまえは自分が何をしたのか承知しているかと、少し声を強めて脅しても、ウンでもスンでもない。もしや手拭いで息が詰まってしまったかと、ぐいと引き起こすと、両目を爛々《らんらん》と光らせて、手拭いの猿ぐつわを緩めようとした政五郎の指に嚙《か》みつこうとした。

　まるで狂犬だ。政五郎はまたおこまを横倒しにすると、いったん納戸を出た。嚙まれ損ねた指に、おこまの涎《よだれ》がついているのを、懐紙で拭った。

　納戸の出入り口には、政五郎と同年輩のいかつい男が見張り番をしていた。下駄職人で、名は誠次と名乗った。相生《あいおい》町の長屋に住む所帯持ちなのだが、急ぎの品があるときには泊まりもする。昨夜もそれで、夜なべ仕事のついでに泊まっていたのだそうで、あたしがいて良かった、番頭は年寄りだし豆旦那《まめだんな》は気が弱いからと、ズケズケ言った。

「あんたは本家の職人だったのかね？」

「ええ、そうですよ。豆旦那がこっちへ出店を構えられるとき、大旦那から頼まれてこっちへ来たんです」

「念には及ばないが、あんたの言う豆旦那は、ここのご主人のことだな？」

「そうです。次男坊だからね」

「本家の方はご長男だ」

「そう、今の旦那ですよ。大旦那は旦那と若旦那と善吉さんの親父さんで」誠次はちょっとばかり誇らしそうな顔をした。「あっしは、大旦那が先代からお店を継いだときには、もう一人前の職人でしたからね」

「おこまのことは、よく知ってるかい？　おかみさん付きの女中で、嫁入りのときについてきたそうだな」

「愛想のない女でね」誠次は吐き捨てた。

「お実家は薬屋でしょう。偉ぶっていてね。女中まで下駄職を馬鹿にしてよ」

「しかし豆旦那たちの夫婦仲はいいようじゃないか」

誠次はフンと言った。「ままごとごっこでさぁね」

「この家には、ほかにあと誰がいる？」

住み込みの奉公人は、女中と丁稚《でっち》があと一人ずつ、通いの職人は、若いのが二人、おっつけやってくるだろうという。

「あんた、ご苦労だが俺がひとわたり話を聞いてくる間、ここで張り番を続けてくれないかね？」

「よござんすよ、お安いご用だ」誠次は不敵な笑い方をした。「あたしなら、万にひとつまたおこまが暴れ出したって、善吉さんのような不覚はとらねえ。任しておくんなせえ、親分」

ぐるりと話を聞いて回るのに、政五郎は一刻ばかりを費やした。おこまが善吉を斬るのに使った刃物も検分した。台所から持ち出された菜切り包丁で、昨夜もそれでおこまは葱《ねぎ》を切っていたという。なるほど、菜切りだったから善吉の傷も軽くて済んだのかもしれなかった。

しかし、それで何がわかったというわけでもない。

おこまは真面目な働き者だったという。男出入りなど一切ない。身持ちの堅い娘だったという。善吉がこちらへ遊びに来たことは二度ほどあったが、泊まりに来たのは初めてで、彼とおこまが親しくなるような機会など、あったはずはないと誰もが首をひねる。

同じ屋根の下に暮らし、生計《たつき》を共にしている者たちの言うことだから、割引して聞かねばならないということぐらい、政五郎もわかっていた。皆で善吉をかばっているのかもしれない。善吉はいたずらでおこまに手を出して、彼女を傷つけ、怒らせ、仕返しされたのかもしれない。筋書きとしては、それがいちばん通りがいい。

しかし、二十年この方この道で暮らしている政五郎の岡っ引きとしての勘は、いや平良屋の連中は嘘などついていない、誰も善吉をかばってなどいない、おこまのやらかしたことに、皆一様に目を丸くしていて、困り果てているというのが本当のところなのだと、政五郎の耳元で囁《ささや》くのである。本当らしくない事でも本当だということはあるものだし、筋書きのつかない出来事でも、起こる時には起こるのが世間というものだ。

神田多町《たちょう》から駆けつけた医者は、善吉の傷を念入りに手当して、心配ないと請け合った。政五郎は処置が済むのを見計らって医者に会い、実はご相談があるのだがとうち明けた。

医者は番頭の箕助と同じくらいの年輩で、体格も似ていたが、馬の鞭《むち》のようにぴんしゃんとしていて、内緒話には向かない地声の持ち主だった。

政五郎は、納戸に押し込められているおこまの様子がおかしくて、彼の指を噛もうとしたことを話した。

「先生、ちょっとおこまを診てやっていただけませんでしょうかね」

「政五郎親分とおっしゃいましたかな、あなたは何の病を疑っているのかね？　恐水病かね？」

大声で言われて、政五郎は首を縮めた。医者と岡っ引きが何をひそひそ話しているのだろうと耳をそばだてているはずの平良屋の連中が、仰天して飛び上がらないといいが。

「おっしゃるとおりですよ、先生。恐水病というのは、犬に噛まれて感染《うつ》るんでしょう？　そうして犬みたいに泡を吹いて、やたらに噛みつくようになる。水を恐がるから、恐水病というんでしょう？」

医者はごま塩混じりの総髪の頭をかしげて、また大きな声で言った。「ともかく、おこまの身体を調べてみよう。犬に噛まれた痕《あと》が残っていたら、疑わしい。それが見つかったら、手桶《ておけ》の水を見せて調べてみよう」

案の定、政五郎が医師を伴って納戸へ移ると、完全に取り乱した様子の主人夫婦や箕助たちが取りすがってきて、おこまは悪い病にやられているのか、善吉に感染《うつ》ったのではないか、わたしどもは大丈夫だろうか――泣き出しそうな顔で問いただすのだった。

地声の大きい医師は、自分の話し声の大きさで、この種の混乱を引き起こすことに慣れているのか、まったく攪乱《かくらん》されることもなく、悠々とおこまを診察した。大事をとって猿ぐつわはとらずにおいたが、よく診るために手足の縛《いまし》めはほどいてしまった。それでも、おこまはえらくおとなしくなっていて、まったく暴れなかった。そういえば、目の色も、さっき政五郎に噛みつこうとしたときよりも、ずいぶんと落ち着いているようだ。

「身体には傷はない」

医師は言って、納戸の出入り口の引き戸にぶらさがっている平良屋の者たちをひとわたり眺め回すと、

「この十日か二十日ばかりのあいだに、近所を野良犬がうろついていたのを見た者はいるかね？　病気の犬でもいい。死んだ犬でもいい。様子のおかしな犬を見かけた者はいないかね？」

誰もいなかった。一同、顔を見合わせてかぶりを振っている。

医師は両膝に手を置いて、説教をするようにいかめしい顔をつくり、おこまを見おろした。そして、割れるような声で言った。

「こら、おい、おとなしくすると約束するかね？」

おこまは猿ぐつわを咬んだまま、大きな瞳《ひとみ》でじいっと医師を見上げた。

「おまえは病にかかっているかもしれない。だから私はおまえを診てやりたいのだ。わかるかね？」

おこまはうんうんとうなずいた。猿ぐつわのせいで左右にうんと引き伸ばされた口の端から涎が一筋流れ落ちる。

「では、この猿ぐつわをはずしてやる」

医師は言うと、おこまの首の後ろに手を回し、手拭いの結び目をほどいた。

政五郎は身構えた。納戸の引き戸のところでも、一同固唾《かたず》を呑《の》むのを感じた。

手拭いを吐き出すと、おこまはこんこんと咳《せ》き込んだ。そうして、顔を上げてまわりを見た。

そして、出し抜けに弱々しく泣き出した。

医師はまだいかめしい表情のまま、政五郎の方をちょっと振り返った。

「この娘をここから出してはいけないかね?」

政五郎は医師の顔を見てから、おこまの方に身を乗り出した。

「おこま、自分が何をやったかわかっているか?」

おこまは泣き続けている。ふっくらとした頬を、涙がつたってゆく。こうしてみるとなかなかの器量よしだった。

「女中の分際で、主人筋の善吉さんに傷を負わせたとあっちゃ、打首獄門は免れねえところだ。それでもおめえにはおめえの言い分があるかもしれねえ。だから、平良屋さんのご主人とおかみさんは、なんとかお上には伏せておけないか、平良屋から縄付きを出さずに済むようにできないかと、大急ぎでこの政五郎をお呼びになったんだ。おまえには、旦那さんおかみさんのその親心がわかるか？」

おこまはしゃくりあげるのをやめて、手で顔を拭った。しかし、何も言わない。

「こちらの先生は、おまえはひょっとしたら重い病にかかっているかもしれないとお診立てだ。病なら、番屋に突き出すわけにはいかねえ。だからこれからおまえを診てやろうとおっしゃるわけだ。わかるな？　神妙にしているな？　そうでなきゃ、また縛り上げて、今度こそは番屋へ引っ立てるぞ」

おこまはするりと顔を上げた。格別、首が長い娘ではないというのに、そのときだけ、なぜか蛇が鎌首《かまくび》をもたげたように、政五郎には見えた。

「親分さん」と、おこまは平べったい声で呼びかけた。

政五郎は、一瞬吸い込まれるようにして、おこまの両の目をのぞきこんだ。黒い瞳が、底の浅い水溜《みずた》まりに映ったお天道さまのように、ぎらりと光った。

「政五郎」と、おこまはもう一度呼んだ。それから、書いたものを読むようなくっきりとした口調でこう言った。

「おまえは人を殺したことがあるな」

一同は凍りついた。

おこまはケラケラと笑い出した。たがが外れたような笑い声は、煙が天井にのぼるようにずんずんと高くなり、やがて悲鳴のように甲高くなって、

「きゃぁぁぁ！」

ひと声叫んで、声と一緒に何か白い灰のような息を吐き出すと、おこまは目を剝《む》いてその場にどっとくずおれた。

医師があわてて抱き起こし、脈を探った。そして、怒ったような顔のまま、無言でかぶりを振った。おこまは事切れていた。

政五郎は結局、おこまは恐水病による急死、亡くなる前に、病が頭に入って錯乱し、善吉に怪我を負わせたということで、事を収めることにした。定町廻《まわ》りの旦那《だんな》方からは、それで何か不審がられることもないだろうが、念のために近隣の番屋には、野犬狩りを厳しくするように触れ歩いておいた方がいいだろう。その方が、もっともらしく見える。

事件は片づいたが、疑問は残る。

おこまは——正気だったのだろうか？

息絶える直前に吐き出した白い息、あれはいったい、何だったのだろうか？

あれはおこまが、何かしら不可解な病にかかっていたというしるしだろうか？

おこまはなぜ、政五郎に、「人を殺したことがある」などと言い放ったのだろうか。

確かに、それは当たっていた。政五郎は人を殺《あや》めたことがある。まだ若いころ、岡っ引きなどと呼ばれるはるかに前の、クズのような人生をおくっていたころの出来事だ。そのままその道を進んでいたならば、とっくに刑場の露と消えていただろう。政五郎に限らず、十手持ちとして働く者たちのなかには、人には言えない過去の持ち主が混じっている。岡っ引きになってからの人生で、昔の所業に埋め合わせをつけようと、そういう者たちほど必死で働く。

政五郎自身もそうだった。だから、久しく、自分が人殺しであったことを忘れていた。平良屋の人びとは、事が無事に収まったことで充分に満足していて、もう真相などどうでもいいようだ。それはそれで無理もない。歳の割に元気で大声の医師は、ひとつだけ、おこまが死に際に吐き出した、まるで火鉢の灰のような真っ白な息のことだけが気にかかると、「だけ」を強調して政五郎に言い、暗に（人殺しの話など、私は聞いていない）というふりをしてくれた。

だから政五郎もそれに調子を合わせた。

「先生は、あんな息を吐き出して事切れるような病に心当たりがおありですかね？」

医師は首を振り、長い眉毛《まゆげ》を指で引っ張った。

「さっぱりだよ。まったく心あたりなどありはせん。親分はどうだね？」

「先生にわからないものが、私なんぞにわかるわけがございませんよ」

「あの白い息は、火鉢の灰のように見えたがね？」

「ええ、私もそう思いました。火鉢の灰を吸い込んで、胸を病むようなことがあるもんでしょうか？」

聞いたことがないと、医師はむっつりと答えたが、やがて、おこまと同じ部屋に寝起きしていた女中を呼んで、その座敷では火鉢を使っていたかと尋ねた。

おこまよりも年下の女中は、姉がわりのおこまを失って、明らかに悲しんでいるようだった。半泣き顔で、要領を得ない。

仕方がないので、医師と政五郎はおかみに尋ねてみた。おこまに、女中部屋で火鉢を使うことを許していましたか？

おかみは、それはとんでもない悪いことだったのですかと、先回りしてうろたえた。

「いえ、悪い事じゃござんせんよ。ただ、商家で奉公人に火鉢を使わせるようなことは、普通はありませんからね」

「わたしは……そうなのでしょうけれど……でも、この季節には女中たちだって寒かろうと思いまして」

道具は自分で買うこと、炭代は給金から払うことを約束して、真冬のあいだだけは、女中部屋に火を入れることを許していたという。

「おこまの火鉢を、ちょっと拝見させていただけますかね？」

おかみが女中部屋から持ってこさせた火鉢は、差し渡し一尺ほどの小振りな瀬戸の手あぶりで、年期物らしく、あちこちに細かなひびが入っていた。白い灰はきれいに均《なら》してあり、消し炭が埋もれている。

「そういえば……」

政五郎と医師が、火鉢を検分しているのを見て、年下の女中が言い出した。

「ここんとこ、おこまさんはしょっちゅう灰神楽《はいかぐら》をたてて、ながめてました……」

政五郎は、医師と顔を見合わせた。

「なんだって?」

政五郎が問い返すと、幼い女中は怯《おび》えて縮み上がった。

「怖がることはねえ。叱っているわけじゃねえんだ。おこまはこの火鉢で灰神楽をたてて、それをながめていたっていうんだな?」

女中ははいと言った。「炭をかんかんに熾《おこ》しておいて、台所からわざわざ湯飲みに水を汲んで持ってきて、こぼすんです」

湯気と灰がぼうっと舞い上がる――

「それで、じいっと見てるんです」幼い女中は、ちょっと口をつぐんでから、舌足らずに付け足した。「まるで、誰かとにらめっこしてるみたいに」

政五郎は、間近に見たおこまの顔を思い出した。にらめっこみたいに。

急に、水をかけられたみたいにぞっとした。

「炭がもったいないではないか、なぁ」と、医師が言った。「なんでそんなことをするのか、尋ねてみたかね?」

「いいえ」

「でも、妙なことをするもんだと思ったろう?」

「はい……でも、見かけたのは二度ばかりだったし、二度とも夜でしたから」

またぞろ女中は泣き顔になって、

「せっかくおかみさんのお許しで火が使えるのだから、万にひとつでも間違いがあっちゃいけないって、それで水をこぼして消してるのかもしれないって」

しかし、いちいち水をかけて消したのでは、炭が台無しになってしまうではないか。

政五郎は、ゆっくりと顔を近づけて、火鉢のなかをのぞきこんだ。灰の匂いがする。鼻がむずむずしそうだ。

「この灰は——？」

おかみが答えた。「家中で使っているのと同じものでございます」不安そうに指をよじっている。「この灰がいけないのでございますか？　病の素《もと》だとか？」

「いや、そんなことではないでしょう」医師がすぐに言った。「ご心配めさるな」

「でも……善吉さんの座敷だけでも、別の灰をいけましょうか。怪我人には、普通は身体に障らないものでも障るかもしれません」

「この火鉢は、おこまが買ってきたものですね？」

「ええ、きっとそうだと思います」

おおかた、どこかの古道具屋で買ったのだろう。

「いつごろから使っていたか、見当はつきますかね？」

「さあ……」

おかみは幼い女中の方を見た。女中はうつむいてしまった。

「そうですか。いやまったく、大変な災難でした」政五郎は話を切り上げることにした。

「このことではもうお気持ちを煩わせないと、この政五郎がお約束します。しかしおかみさん、よろしければ、この火鉢、しばらく預からせてはいただけませんかね？」

おかみは飛びつくように承諾した。「はい、どうぞどうぞ。どうぞよろしくお願い申し上げます」

政五郎は風呂敷を借りて、火鉢を丁寧に包み、持ち帰った。医師には、しばらく家で使って様子を見ると請け合った。

「火鉢のせいでも灰のせいでもないと思うけれども、なにしろそんな病は見たことも聞いたこともないですからな、しかし——」

医師は長い眉毛を引っ張りながら、いくぶん、怖い顔をした。

「できるだけ、風通しの良い場所でお使いなさい。よろしいですな？」

その夜のことである。

政五郎は女房に事の次第を話し、家にいる手下《てか》たちが寝静まったころになって、座敷にあの火鉢を据えて、火を入れてもらった。

日頃、政五郎が岡っ引きの顔で人に会うときに使っている座敷である。こぎれいな庭に面して縁側があり、立派な神棚もある。女房はなかなか肝の据わった女なので——そうでなければ政五郎と所帯を持ってはいられない——怯えるような顔こそしなかったが、神棚には赤々とお灯明を点《つ》け、行灯《あんどん》も、ほかで使っているのも持ってきて三つも灯《とも》して、少々きまりが悪いほどに座敷を明るくした。そして縁側に面した障子をいっぱいに開け放したので、政五郎はくしゃみが出た。これでは、風通しが良すぎるくらいだ。

火鉢にほどよく炭が熾ると、政五郎は、長火鉢の方で湧かした鉄瓶を持ち上げた。

「いいかい、灰を吸い込まないように、鼻と口をおさえておけよ」

女房は袖《そで》で顔を半分覆ってうなずいた。

「おまえさんも。息を止めてるんですよ」

政五郎はよしと言って、鉄瓶の注ぎ口から、おこまの火鉢のなかへと、勢い良く湯をこぼした。じゅうという音がして、灰神楽がぼわりと立ち上がる。

政五郎は目をこらした。女房も目をこらした。政五郎の頭のなかには、

——おまえは人殺しをしたことがあるな。

おこまの声が鮮やかに蘇《よみがえ》り、響いていた。

小さな白い海坊主のような灰神楽は、ぼんわりと丸い形も、すぐにほどけて形を失い、縁側からその先の夜の戸外の方へ、漂い消えていってしまった。

「なあに?」と、女房が呟《つぶや》いた。いささか不満そうな声でもあった。「ただの灰神楽じゃないのさ。これがどうかしたの?」

「俺にもわからん」と、政五郎は言った。それでももうしばらくのあいだ、十手を構えるような気分で鉄瓶のつるを握りしめていたが、そのうち、不意に酔いが醒《さ》めたような気がしてきて、長火鉢の上におろした。

女房が吹き出した。

つられて、政五郎も笑い出した。

何のことはない。ただの火鉢だ。少し考えすぎてしまったらしい。

「よくわからないけど、でも、この火鉢は悪くないんじゃないのかしらねえ」

政五郎はうなずいた。

そうだ、火鉢のせいでも灰のせいでもないと、医者の先生だって言っていたじゃねえか。おこまが灰神楽に見入っていたという話だって、どこまで本当だか——見る側の気のせいということだってある。あの女中、まだ子供じゃねえか。

「おまえさん、一本つけましょうか？」

「ああ、いいなぁ」

政五郎は優しい気持ちになった。古女房だが、いい女だ。素っ堅気の娘だったから、政五郎が若造のころのように道を誤ったままだったならば、こうして所帯を持つどころか、道ですれ違うことだってなかったかもしれない。

「ちょうどね、上総屋《かずさ》さんから、いい塩からをいただいたんだ」女房はいそいそと立ち上がった。「あんたの好きな麹《こうじ》の入った塩からでね——」

そのときだった。

女房は水屋の方に顔を向けていて、縁側には背を向けていたから、まったく気づかなかったろう。気づかなかったはずだ。政五郎はそう信じているし、そう願ってもいる。一瞬のことだから、あんなものは、俺しか目にせずに済んでいるはずだ。

あんなもの。

開けっ放しの障子の先の縁側を、座敷の内側を明るく照らす行灯の光と、真っ暗な冬の夜の闇との境目を、手前から向こうに、ざんばら髪の、つんつるてんの白い着物を着て、痩《や》せた脛《すね》をむき出しにした裸足《はだし》の女が、凄《すご》い勢いで歩いて通り過ぎた。手前のどこから現れたのか、向こう側のどこへ行ったのか、まるでわからない。さっぱり見当もつかない。だがそれは、ここを歩いて間違いないという確信に満ちた足取りで、確かに政五郎の座敷の縁側を通り抜けた。脇目も振らない早足で、だからちらりと見えただけだ。顔は見えなかった。見えなくて幸せだった。

ただそれは、おそろしく痩せていた。骸骨《がいこつ》のように痩せこけていた。それなのに、おそろしく早足だった。

そしてなぜか——それが通り過ぎた後に、火鉢の灰のような粉っぽい匂いが残っていた。

「あら、おまえさん、どうしたの？」

女房に声をかけられても、政五郎は返事をすることができなかった。

「そんなに目を剝《む》いちまってさ、どうしたっていうのよ？」

岡っ引きで世渡りをしていると、時にはまともには始末に困る代物が手のなかに残ることがある。人を刺した刃物。首くくりの紐《ひも》。

そんなとき、政五郎は、押上村に照法寺という貧乏寺があって、そこの住職が自分と古い馴染《なじ》みであるということを思い出すことにしている。相撲取りのような大男の住職は、実は身体に古い入れ墨があり、そのことを知っているのは本人と政五郎ばかりである。

おこまの火鉢も、そこへ持ち込まれた。

政五郎の話を聞いても、住職は睫毛《まつげ》一本動かすことはなかった。

「まあ、そういうことはあるものだ」

と、眠そうな顔で言っただけだった。

「きちんと供養をすれば、何が憑いていたにしろ、もう案ずることはない」

おこまは何に憑かれたのだろう？　彼女に憑いたものは、どうして政五郎が人殺しであると見抜いたのだろう。

政五郎の問いにも、住職は憎々しげに笑って、

「人殺しは人殺しに見える。ちゃんとそう見える。それだけのことである」と、うそぶくだけであった。

平良屋は、おこまの一件を内々にしてもらったことに、大きな恩義を感じたらしい。数日後に届けられた菓子折には、政五郎が思っていた額を倍にしても足りないほどの金子《きんす》が隠されていた。もっともそのうちのかなりの金は、右から左へと照法寺へ渡ってしまったのだが。

善吉の怪我は、ほどなく良くなった。彼は本当に実直な男で、いたずらで女中に手を出

すようなことはない、あの日、長兄と喧嘩《けんか》をして本家を飛び出し、桐生町へ転がり込んでいたという話も、確かに本当だと裏付けがとれた。

おこまは身寄りがなかったので、平良屋でそそくさと葬った。その後は平良屋には異変もなく、若い主人夫婦も箕助も誠次も女中たちも、以前と同じように働いている。

十日ほどして、火鉢の始末がついたことを、照法寺が知らせてきた。仰々しい達筆で、住職自らしたためた文の末尾に、夜になるとあの火鉢から白いふわふわしたものが舞い上がって、本堂や庫裏《くり》を飛び回るのを見たと、小坊主たちが騒いでいたと書き添えてあった。

また住職自身も、一度だけだが、深夜にあの火鉢の脇に、ざんばら髪でつんつるてんの着物姿の、案山子《かかし》のように痩せさらばえたものが、こちらに背を向けて突っ立っているのを見かけたそうである。見たが、顔は見ていない、別にどうということもなかったと書いて、文は終わっていた。

政五郎はその文を、長火鉢で焼いた。灰は粉々にして、便所に捨ててしまった。始末がついたならそれでいい。思い出すこともない。

なにしろ今はまだ冬の半ば——当分のあいだは、火鉢なしには暮らせないのだから。

蜆塚

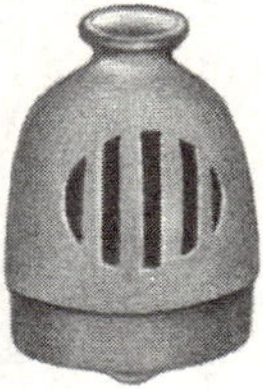

小河屋《おがわ》の向島《むこうじま》の寮へ向かう前に、米介《よねすけ》は浅草御蔵《おくら》の方へと足を向けた。蔵前元町《くらまえ》にある馴染《なじ》みの魚屋に寄ったのである。一昨日のうちに、今日のために御蔵蜆《しじみ》を買い入れてくれるよう頼んであった。

魚屋は、約束にたがわず、目笊《めざる》いっぱいの蜆を見せてくれた。それを小鍋《こなべ》に戻し、ここには真水を張ってあるから、持って歩くうちにも上手《うま》い具合に砂を吐くよと言った。

「米さん、気をつけて歩きなよ。転んで道にぶちまけちまったりしたら、大損だ」

「うん、わかってるよ」

米介は金を払いながら請け合った。

御蔵蜆は、浅草御蔵の一番堀から八番堀まである横堀で採れる蜆のことである。ここには日々、米俵を積んだ船が横付けになる。船から米俵をおろして、御蔵へと運び込む作業の際に、米がこぼれて堀に落ちる。ここの蜆はそれを食べて育つので、他所《よそ》の蜆よりも味が良いのである。

それだけに値段も高く、手に入れるには、だいたい、普通の蜆の五倍ほどの代価を払う。

米介も魚屋に、それほどの銭を払った。もっとも、一日に採れる嵩《かさ》には限りがあるから、どうしても欲しいという時は、もっと金を積まねばならないこともあるから、今日はツイていたようである。

「毎度あり」

いかつい顔の魚屋は、上機嫌で言った。「でも、今日は親父さんの祥月命日《しょうつきめいにち》じゃねえよな。どこかへお遣い物にするのかい？」

米介はうなずいた。「親父の長年の碁敵のじいさんが、半月ぐらい前から寝込んでいるんだ。歳も歳だから、本人も気が弱ってるらしい。親父に代わって、俺が見舞いに行こうと思ってさ」

「へえ、親父さんの碁敵かい。やっぱり米さんは親孝行なんだね」

「いや、そりゃとんでもない」

米介は笑った。本当の親孝行ならば、おふくろの死に目にも会えたろうし、親父が倒れて寝たきりになる以前に、ちゃんと桂庵《けいあん》を引き継いでいただろう。

「俺なんざ、孝行者のこの字もあたらないよ。ただ、差配さんの話だと、親父がさんざん世話になったじいさんらしいんだよ。ほかには何の道楽もなかったのに、碁だけは格別だった。ムキになって勝ちたがるのを、辛抱強く相手になってくれた人だそうだ。だったら親父だって、気にしているだろうと思うんだ」

そうかい、じゃあ気をつけていきなよと、魚屋はもう一度繰り返して、米介を送り出した。天気は良いが、川風は冷たい。米介は歩きながらふたつくしゃみをした。

米介が、柳橋先の代地にある桂庵の株と店を、卒中で亡くなった父親から引き継いで、まだ五年ばかりである。もっとも歳は四十に近いし、父親似で押し出しは悪くない。下手をすると、五十過ぎに見られることもある。

米介の亡父は、口うるさいが説教の上手い頑固者で、人を見る目が鋭く、金に几帳面《きちょうめん》で物覚えがいいと、桂庵の主人にはうってつけの人物だった。だが米介はこの父親と折り合いが悪く、十五になるやならずで家を飛び出して、日雇いや中間《ちゅうげん》奉公や、ありとあらゆる仕事を転々としながら、勝手気ままに生きて三十を過ぎた。五年前、父が倒れてもう余命いくばくもなくなったころ、親しかった柳橋の差配人が、何とか一人息子を探し出して死に目に会わせてやりたいと奔走してくれなかったら、米介は父の亡くなったことさえ知らずにいただろう。

差配人に説かれて戻ってみた実家には、すでに母は亡く、父も話のできる様子ではなくなっていた。いい分別の年頃になっていた米介は、さすがに己の勝手を恥じた。だから、米介が帰って五日の後、父が一度も目を開くことなく、言葉を交わすこともなく息を引き取ったとき、差配人に、この桂庵の仕事を引き継ぐことはできるだろうかと、自分から言い出したのだった。

見よう見まねで、最初のうちはずいぶん戸惑った。父は信用と人望のある口入屋《くちいれ》だったが、なにしろ米介は長いこと家を離れていたから、まわりに知られていない。突然、伜《せがれ》です今後は後を継ぎますと挨拶《あいさつ》に出かけたところで、取引先のお店《たな》の人びとも、はいそうですかと認めてはくれない。だいたいが米介はこらえ性がないのだから、亡父と同じくらい口うるさく、面倒見のいい差配人がくっついていてくれなかったら、放り出して逃げてしまったかもしれない。

亡父が蜆汁が好物だったこと、年に何度か大枚をはたいて御蔵蜆を買うのが唯一の贅沢《ぜいたく》であったということ、日本橋西の呉服屋「小河屋」番頭の松兵衛《まつべえ》という人が碁敵で、長年懇意にしていたということ——それらのことも、米介は差配人から教わった。この二年ほどで、ようやく口入業の方も安定してきたので、お彼岸やお盆、父の祥月命日には、御蔵蜆をふんだんに使った汁を供えるようになったのだが、父より十年も昔にコロリで亡くなっていた母の好物は、さすがの差配人でも覚えがなく、仕方がないので、仏壇に花をあげるだけになっている。

小河屋の番頭の松兵衛とは、最初は父のささやかな葬儀の折に顔を合わせた。本人は碁の話はしなかったが、後で差配人に聞いたので、四十九日を済ませた後に米介の方から訪ねて水を向けると、悲しそうに首を振って、あんたの親父さんほどの良い碁敵にはもう巡り会えないだろうから、私も碁は絶とうと思っているなどと、気弱なことを言った。それがあまりに寂しげでつまらなそうだったので、親父とはよほど気があっていたのだろうと、米介は思った。

その松兵衛が寝込んでいるという話を聞いたのは、今から十日前のことである。米介の父が口入れし、小河屋へ奉公してもう三十年近くになるという女中頭のおもんが、柳橋の店に遣いに来て、教えてくれたのだ。

「お医者さまのお診立てじゃ、水腫《すいしゅ》だっていうんだけどね。どうりで息が苦しそうだから」

「先から悪かったんですか」

「この一年くらい、梯子段《はしごだん》の上り下りはよしてたのよ。胸が痛くなるって。寝込む前も、胸がこう、大きな岩でおしつぶされるみたいに苦しいってね」

「ああ、そりゃいけない」

「旦那《だんな》さまも心配して、すぐに向島の寮に移したんですよ。それでねえ米さん、出代わりの時期じゃあないし、誰が来たって番頭さんほどの働きができるわけじゃないけど、なにしろうちはもともと人手が足りないところだからね、困ってるんですよ。奉公人を一人、急いで口きいてほしいんだけど」

「それはお安い御用ですが、本家の方から人が来るということはないんですか」

小河屋は、通二丁目にある呉服問屋河津屋から暖簾《のれん》分けでできた分家である。お店の名前もそこから来ている。

「本家の番頭さんたちと、松さん仲が悪かったからねえ、張り合っちまってさ」

そう言って、おもんは可笑《おか》しそうに、ちょっと口を曲げた。

「だから、穴埋めに本家から人を呼んだりしたら、松さんおちおち寝てられないだろうって、旦那さまが」

「そうですか、それならすぐに私の方で何とかいたしましょう」

米介は請け合って、帳面をつけた。幸い、二、三の心当たりがあった。

「松さんだいぶ心細いようだから、よかったらお見舞いに顔を見せてあげて」

帰りがけにおもんが、険しい顔つきのわりに優しい台詞《せりふ》を吐いた。

「療養のお邪魔にならないようでしたら、もちろん伺います」

「邪魔も何も――」

おもんは悲しそうに、大きな頭をゆらゆらさせた。

「あんまり見通しはよくないんだよ。会えるうちに会っておいてよ。あたしも歳を感じちまって、なんだか気が滅入ってね。松さんとは長い付き合いだもの」

米介はおもんを慰める言葉を持たなかった。必ずお見舞いに伺いますと言うだけだった。

幸い、穴埋めの奉公人の方はすぐに決まった。六太郎という名の、茅《かや》町の長屋に住む二十歳すぎの若者である。十の歳から奉公していた牛込下《うしごめした》の古着屋が先月末に火事に遭い、主人夫婦は頓死《とんし》、お店は全焼、知り合いを頼って深川の長屋に身を寄せているのだが、生《たつ》計《き》の道を失って困り果てていた。

そんな次第だから、先の奉公先の主人の請書《うけしょ》は失く、長屋の差配人の紹介で米介のところを訪ねてきたのだが、呉服屋ならぜひ働きたいと、最初から乗り気だった。はきはきして如才なく、身ごなしのきれいな商人向きの若者だし、小河屋でもひと目会ってすぐ気に入ったようなので、話はとんとん進み、まとまったのだった。

米介は大いにほっとした。この上は早く時をつくって、松兵衛を見舞いたい——と、気ぜわしく数日を過ごして、今日やっと出かけてきたという次第なのである。

向島の寮は、詳しく言うならば、小河屋のものではない。本家である河津屋が、奉公人たちを住まわせるために建てたものである。河津屋は日本橋でも白木《しろき》屋や越後《えちご》屋の次に指を折られるほどの大店《おおだな》だから、寮の構えも立派なものだ。向島は江戸市中でも鄙《ひな》びた風情で、田畑や寺の地所が多いから、ぐっと静かでのんびりしている。米介の歩みを遮るものは、時折林のなかから聞こえてくる鶯《うぐいす》の声ばかりである。

寮について訪《おとな》いを入れると、すぐに小女《こおんな》が出てきて、米介の身分を知ると、ああ、おもんさんから聞いていますと言った。

「松兵衛さんの具合はいかがですか」

「だいぶ弱っておられますけど、今朝は重湯《おもゆ》をあがりました。今は目を覚ましていますから、すぐご案内します」

「ご造作をかけます。それで、これはお見舞いの——」

もごもごと言って、米介は蜆《しじみ》を器ごと差し出した。小女は喜んで受け取った。

「水腫には蜆汁が効くそうですものね」

松兵衛は、広い畑に面した明るい六畳間に寝かされていた。ずいぶんと痩《や》せて蒼《あお》ざめていたが、米介が枕元に近寄ると、すぐにわかって律儀に起きあがろうとした。米介は止めたのだが、結局は小女にも手伝わせて布団の上に座り、背中から綿入れをかけてもらって、松兵衛はやっと落ち着いた。

「一人で寝起きもできないようじゃ、もうおしまいだよ」

苦笑しながら言う顔は、げっそりと頬がこけている。息もせわしなく苦しそうだ。

「長引いてみんなに迷惑をかける前に、早くお迎えが来てほしいものだ」

米介は彼を元気づけようと、あれこれ話を選んで口に出してみたが、どの話も長くは保《も》たず、沈黙ばかりが優勢であった。そうすると、外の畑を流れる用水路の水の音ばかりが響いてくる。

「静かなところですねえ」

それでも米介はがんばって、話を明るくしようと努めた。

「うちの親父もこんな静かで水のきれいなところで療養させたら、きっとよくなったでしょう」

ずっと何かしら考え込むように顔をしかめていた松兵衛が、つと顔をあげて、まわりを盗み見るように目を配った。案内の小女はとっくにいないし、見渡す限りの畑にも、それを耕す人影は見えない。それを確かめるような目つきであった。

「なあ、米介さん。今の話であんたの親父さんの最期を思い出したよ」

米介は取りなした。「そんな寂しいことを思い出さないでくださいよ」

「いやいや、私は湿っぽい話をして元気づけてもらおうというわけじゃないんだ」

松兵衛は、肉が落ちて骨ばかりになった手をひらひらと振った。

「ただ、この際だから確かめておきたいんだよ。おまえさんは、親父さんが寝たきりになってから家に帰った——それでとうとう、親父さんとは一言も話をすることができなかったのかい？」

米介は肩をすぼめた。「はい、何も話はできませんでした。親父はずっと眠ったようで……そのまま息を引き取りました」

枯れ木のような腕を、これまた薄い胸の前で組んで、松兵衛はうーんと唸《うな》った。

「それなら、親父さんからは何も聞いていないんだなぁ。もっとも親父さんは、あんたが戻ってきたことも気づかなかったわけだから、あんたが桂庵を継いでくれるなんてことも、まるで知らずに逝ったわけだし、それだと話す理由もないだろうしな」

ぶつぶつと独り言である。何を言っているのか、米介にはさっぱりわからない。だが、何となく謎めいている。

「松兵衛さん、俺が親父から聞いておかないとならないような話があったんですか？」

松兵衛は返事をせず、またうーんと唸る。

「聞いておいた方がいいことで、それを松兵衛さんはご存じなんですかね？」

松兵衛はゆっくりと目をしばたたかせながら、米介の顔を見た。目の縁に少しばかり涙が溜《た》まっているが、これは泣いたのではなく、病のせいだろう。寝ついてしまうと、誰でも目がしょぼしょぼするものだ。

「江戸中の桂庵の親父に聞いてみたわけじゃなし」と、松兵衛はぶつぶつ言った。「江戸中の番頭に確かめてみたというわけでもない」

「はあ……」米介は合いの手に困った。

「それでも、なあ」

松兵衛は骨張った指で顎《あご》を引っ張った。

「六太郎のこともあるし」

米介は膝《ひざ》を乗り出した。「六太郎？　私が口をきいた奉公人の六太郎のことですか？」

松兵衛は痩せた顎をうなずかせた。「そうだよ、あの六太郎だ」

「あれに何か不都合でもありましたか？」

「いんや。よくできた男だね。ここにも挨拶《あいさつ》に来たよ。いろいろ気を遣ってくれた」

誉め言葉なのに、松兵衛は、嫌いなものを無理に食べるときみたいな口つきで言った。

「お店《たな》の役に立つ奉公人になるだろうね。小河屋じゃ——本家もそうだけれど——余分な口は養わないというのが方針だから、奉公人はいつもめいっぱい務められるだけの気働きがないと駄目なんだが、六太郎なら大丈夫だろう」

「そんなことを言うわりには、松兵衛さん、楽しくなさそうですね」

米介はそう言って、心の隅で考えた。やっぱり松兵衛は寂しいのだろう。病み衰えてゆく我が身に引き比べて、若くて元気で人生はこれからという六太郎のことを思うと、彼が出来物の奉公人であるらしいだけになおさら、小面憎《こづらにく》く感じられるのだろう。その本音が口調ににじむのだ。

——六太郎は、うっかりここに挨拶になど来るべきじゃなかったのにな。

いつ来たのだろう、誰が連れてきたのだろうと、腹のなかで考えていると、松兵衛が言った。

「私は別に、六太郎に含むところがあるわけじゃないんだよ」

悲しそうに目尻《めじり》をこすっている。

「だからあんたにはこんな話、しない方がいいかもしれないんだがね」

米介は、またぞろわけがわからない。

「何の話ですか、松兵衛さん」

松兵衛が嘆息すると、木枯らしが枝を鳴らすように、喉《のど》がひゅうと鳴った。

「でも、やっぱりあんたには話しておこうか。親父さんにもその機会があったなら、きっと伝えただろうから」

松兵衛はできるだけしゃんと背中を伸ばすと、米介に向き直った。

「米さん、おまえさんは桂庵《けいあん》の主人だ。口入屋《くちいれ》だね」

あらたまった口調が可笑《おか》しかったが、米介は笑わずに「はい」と応じた。

「店を継いでどのくらいになるかね」

「五年になりますが」

「五年か。それじゃあ、まだ気づく折もないだろうねえ」

松兵衛は額に手をあてる。何に気づくんですかと急《せ》かしたくなるのを、米介は我慢した。

「私はね、本家に丁稚《でっち》奉公にあがったのを振り出しに、暖簾分けで小河屋ができたときに番頭として一緒に移って、以来三十年——ずっとお店にお仕えしてきた」

松兵衛は額を押さえたまま言った。

「あんたの親父さんと知り合ったのも、ちょうどその三十年前、小河屋ができたときだ。奉公人を増やさなくちゃならなかったのでね」

「碁敵になったのもそのころですか」

米介は微笑を含んで尋ねた。松兵衛の難しい顔を、緩めてやりたかったのである。

だが松兵衛は笑わなかった。「そうだね。もともとは、それで始まったんだがね」

「何がです？」

「だから、四方山話《よもやまばなし》をするってことさ。知り合ってまもなくのことだった」

碁盤をはさんで、ひと勝負を終えたあとのことである。松兵衛は相方に、どうも今日は身が入っていないようだねえと尋ねた。実際、おかしな手ばかり打ってきたからだ。

「するとね、あんたの親父さんは顔を曇らせて、どうにも薄気味悪くてね——と、話し出したんだ」

桂庵を、同じ人物が繰り返し訪れるというのである。

「もちろん、どこへ口をきいてやっても奉公が長続きしなくて、ちょいちょい桂庵へ戻って来る——という意味じゃないんだよ。同じ顔をした同じ人間が、十年くらいの間をおいて、まるっきり違う名前で、まるっきり違う経歴でやってくることがあるというんだ」

二十年前にあるお店に口をきいてやった小娘が、十年後に、まったく同じ姿で、また奉公先を探してくれとやってくる。ただ、名前は違うし、生まれも違う。おかしいなぁと思いつつも、まあ勘違いだろうと片づけて奉公先を探してやる。そしてまもなく忘れてしまう。

「ところが、また十年ばかり経つと、またその同じ小娘が、まったく違う名前でもってやってくるんだ。奉公先を探してるってな。あんた十年前にも来たろう、二十年前にも来たろうと尋ねても、ぽかんとしている。同一人物だとしたら、まったく歳をとっていないのだから、妙な話だ。だから他人のそら似なんだろう。でも——」

「でも？」米介は興味を惹《ひ》かれて乗り出した。

「あんたの親父さんは、そういうような経験があるかと、仲間内でこっそり尋ねてみたそうだ。すると、十人ばかりの桂庵の主人のうちに、一人だけ、同じような経験をした男がいたそうだ」

歳をとらず、姿形を変えず、ただ名前と経歴だけが違う同じ人物が、ある一定の月日を経て、繰り返し奉公先を探しに訪れる——。

「その桂庵の主人はあんたの親父さんよりも年上で、聞いてみたら、本人がそういうことを体験しただけでなく、代々同じ生業《なりわい》をしていた親父さんからも、同じような経験を伝えられていたそうだ。そしてこう諭されたそうなんだ」

世の中にはそういう人間がいるのだ。歳をとらず、病にもかからず、死にもしない。連中は一ヵ所に長くいると、それと悟られてまわりの人びとに怪しまれるから、奉公先などは、せいぜい十年ぐらいで替えねばならない。だから桂庵にやってくる。筋のいい桂庵を見極めるのはけっこうな手間なので、一度頼んで安心だったところには繰り返しやってくる。奉公先も同じだ。三十年前に八年ばかり奉公して、居心地の良かったお店を覚えていて、そのお店がつぶれていなければ、三十年後にまたそこに入って奉公する。分家があれば分家でもいい。三十年も経てば、昔奉公して辞めていった女中や下男の顔を覚えている者も減っているから、まずいことにはならない。桂庵でも事情は同じで、主人はたくさんの男女の奉公先を探すから、誰か一人の顔を覚えているということはないから安心だ——。

「ところが、桂庵の主人というのは、案外よく人の顔を覚えている」と、松兵衛はゆっくりと続けた。「たとえ十年ごとでも、二度も三度も同じ顔がくれば気がつくんだ」

だが、気づいても知らん顔をしていなければいけない。米介の親父は、そう言われたのだそうである。

「そういう連中は、何も悪さをするわけじゃない。ただ死なない、歳をとらないというだけだ。だから隠れて住んでいる。目立たないように気をつけてな。それだけだから、虐《いじ》めたり追い回したりしてはいけない」

この話が、よほど深く心に刻まれているのだろう。松兵衛の言葉には淀《よど》みがなかった。

「あんたの親父さんは、そういう話を私にうち明けてくれた。ねえ、何か害があるというわけじゃないが、薄気味が悪いだろうって、少しばかり笑いながらね。私はとても驚いた。なぜって私も、河津屋から小河屋へと移りながら長年奉公をしているあいだに、似たような経験をしていたからだ」

松兵衛が丁稚奉公をしているころに、旦那《だんな》さまから目をかけられていた若い手代がいた。小作りだが美男で、お嬢さんから慕われていた。それがいけなかったのか、まもなくお暇を出されてお店から姿を消した。

それから二十年ほど後、松兵衛が分家の小河屋で番頭として働いているころ丁稚時代に河津屋で会ったあの手代の男が、奉公人として入ってきた。そのころ河津屋にいた時と同じ歳、同じ顔つきだった。だが名前と生まれはまったく違う。

気づいたのは松兵衛一人だし、他人のそら似かもしれないので、何も言わなかった。ただ、ある折に、その男と二人だけになる機会があったので、私は子供のころ、あんたとそっくりの手代さんを知っていたと言ってみると、相手は笑って、自分は江戸には身寄りがないと言ったが、それ以来、松兵衛を避けるようになった。そして五年ほどで奉公をよしてしまった。何が理由で辞めたのかわからない。旦那さまはずいぶんと残念がっていた。

「ところがその同じ男が、それから十年ばかりして、今度はまた河津屋に現れた。名前も違う生まれも違う。昔、そいつに心を寄せた河津屋のお嬢さんとは、親子ほどに歳が離れてしまっている」

しかし河津屋のお嬢さん——とっくに他家に嫁いでおかみさんになっているのだが——

は、記憶に残っている想い人の顔を覚えていた。同じ顔と姿の男が身近に戻ってきたことで、大いに心を乱された。

「それでまあ……危うく嫁ぎ先から返されるところだった」言いにくそうに、松兵衛は口をゆがめた。

「その男はどうなりました？」

「お嬢さんに離縁の話が出たところに、逐電《ちくでん》してしまった。行方はわからない」

「松兵衛さん――」

米介は膝《ひざ》をそろえて座り直すと、老人の顔をのぞきこんだ。

「念のためにうかがいますが、私をたばかっているわけじゃあありませんよね？」

「どうして私があんたをたばかるかね」松兵衛は疲れたように両肩を落とした。「これは作り話なんかじゃないんだよ」

「そんなら安心です。それで松兵衛さん、さっき六太郎さんのことを気にしておられましたな？　私の早のみこみでなければ、あなたは、今度小河屋に奉公にあがった六太郎さんも、今お話ししてくれたような、死にもせず、歳もとらない不思議な人間だと思っておられるんですね？」

松兵衛はゆっくりと、嫌々そうさせられるみたいに渋い顔をしてうなずいた。

「昔、会ったことがある。一度じゃない。二度は会っている」

「二度とも奉公人として？」

「いや、一度は河津屋の親しく付き合っていた糸屋の婿だ」

「入り婿ですか？　それなら、そう簡単に姿を消すことはできないでしょう」

「それが、消えたんだよ。婿に入って三年ばかり経ったところで、手文庫から金を持ち出してな。私は当時手代に取り立てていただいたばかりだった。だから三十七年昔のことになるな」

「六太郎さんは――当時のその人に生き写しなんですな？」

「何から何までそっくりなんだよ。声まで同じだ。話し方も」

「親子かもしれません。三十七年開いてますからね」

松兵衛はかぶりを振った。「一度じゃない、二度と言ったろう？　二度目は十五年前――いや、十三年くらいかな、東両国で大火があった年だから。あの六太郎がまた河津屋に奉公して、二年ばかりで立ち退いた」

米介は眉《まゆ》を寄せて考えた。つるりとした頭に汗が浮いてくるような気がする。

松兵衛は、確かに按配《あんばい》が良くない。今病んでいるのは命取りの病なのだろう。それがおつむの方まで作用して、うわごとのような事を言わせているのだ。

「信じとらんようだな」

気がつくと、松兵衛が涙ぐんだ目でじっと見つめていた。

「無理もない。私だって、あんたの親父さんという人とお互いにうち明けあうまでは、こんなことを考える自分の頭の方がどうかしとるんだと思っていたよ」

「松兵衛さん、私は何もそんなことを言ってやしませんよ」

どうにも険悪になりかけたとき、水を入れるように、唐紙の向こうから、小女《こおんな》の声がかかった。応じると、膳を運んできた。

「時分どきですから、お客さんもご一緒に昼食をどうぞ。お持たせですけれど、蜆汁《しじみじる》をこしらえました」

小女は愛想良く、松兵衛に膳を勧めた。

「重湯ばかりじゃ飽きるでしょう。卵焼きもあるんですよ。それにこの蜆汁、お客さんがお見舞いに持ってきてくださった、御蔵蜆なんですよ」

松兵衛は箸《はし》が進まなかったが、小女がうるさく世話を焼き、頼むような目をして促すので、見るからに努力して膳の上のものをつまんでいた。米介も食べた気がしなかった。

食事が済んで膳が下げられるのを汐《しお》に、米介はそろそろおいとましなくてはと言い出した。気詰まりな雰囲気は、膳が出ているあいだも一向に変わらなかった。

松五郎は悄然《しょうぜん》と座っていたが、ちらりと米介の顔を見て、小さく言った。

「六太郎のことは、あんたの親父さんも知っていた。もしかしてあんたが桂庵《けいあん》の後を継いだときのためにと、何か書いたものが残してあるかもしれない。探してごらん」

「松兵衛さん――」

米介は思わず呼びかけたが、後に続ける言葉が出てこなかった。何と気の毒な老人だろう。おかしな考えに、すっかり憑《とりつ》かれてしまっている。

「要は知らん顔をしていることだ」と、松兵衛は言うのだった。「気づいたことを悟られなければ、あの連中も何もするまい。あれはあれで気の毒な奴らなんだ。死なないというのも、きりがつかずに辛《つら》いことだろうよ。下手に知られれば、なぜ不老不死なのだ、その素を教えろなどと、金に目がくらんだ者どもに追いかけ回されるだろうしなあ」

心ある者は、ずっと知らん顔を通しているのだ——と、口のなかでぶつぶつ呟《つぶや》き続ける。米介は痛ましくなって、言い訳も早々に席を立った。

松兵衛が向島の寮で亡くなったのは、米介が老人を見舞った明くる日のことであった。いくら長年仕えたと言っても、奉公人のことだから、小河屋では仰々しい葬儀など出さない。それでも生前の松兵衛と親交のあった少数の人びとを招いて、ささやかな通夜が、寮の松兵衛が臥《ふ》せっていた座敷で執り行われるというので、米介もはせ参じることにした。風の強い夜であった。幸いなことに満月で、夜道は明るい。提灯《ちょうちん》など要らず、地面にはくっきりと影が落ちた。

店を閉めてから出たので、米介はだいぶ遅れた。昨日の今日で、老人の死が信じられない。安らかに亡くなったのだろうか。苦しんでいないといいが。あんなうわごとのような話を聞かされたのは、自分が最後であったのだろうか——。

昨日、小女が出迎えてくれた勝手口に、今夜はあの六太郎がいて、強い夜風に着物の袖《そで》をあおられながら、客たちを出迎えていた。彼は遠方から米介の顔を見つけると、大いに丁寧なお辞儀をした。米介も礼を返して、急ぎ足で彼に近づこうと小走りになった。

そのとき、殴りつけるような強い風が横から吹きつけてきて、米介は手をあげてよろめいた。風にあおられた着物の裾《すそ》が足にからみ、履き物が脱げかけた。

米介の足元が危ないと見て、六太郎は機転者らしくさっと手を伸ばし、前に出た。

「やあ、大変な大風でございます――」

本当に、と言葉を返しながら、六太郎の差し出した腕につかまって体勢を立て直した米介は、そのとき、風を避けて顔をうつむけながら、何ということもなく地面を見た。

頭上には月が輝いている。蒼《あお》い光が、そこにもここにも満ちている。

地面に落ちた米介の影が、変な格好で誰かにつかまっている。いや違う、変な格好に見えるのは、隣にいるはずの六太郎の影が見えないからだ。

六太郎には影がない。

刹那《せつな》のことだった。すぐに米介は顔をあげた。すると、六太郎と目があった。

――知らん顔をしていることだ。

「さあ、こちらでございます」

六太郎はにこやかに、しかししめやかに、米介を案内にかかった。米介は、さっき彼に支えてもらったときにつかまれた二の腕のところから、じっとりと汗をかくような気がした。

小河屋の番頭・松兵衛は、苦悶《くもん》の顔で死んでいたという。水腫《すいしゅ》は怖いと、まわりの人びとは噂しあった。

柳橋の桂庵の主人、米介は、若いころに家を出てさんざんさすらい暮らした挙げ句、五年ばかり前にふらりと帰ってきて、前後して死んだ父親の後を継いだという変わり者である。放浪していたというのは世間体の良い過去ではないが、当人が意外に穏和で真面目な人柄だったので、近所の評判も悪くなかった。

ところが、このところその米介が、どうも様子がおかしい。父親が書き残したものを探すのだと言って、家中ひっくり返している。亡父と親しかった差配人も家に呼んで、昔のことを何か覚えていないかと、膝《ひざ》詰めで問いただす。昔のこととはどんなことか？　いや、変わった話をしていなかったか。変わった話とはどんな話だ？　それは言えない、言うのが怖い。

近隣の人びとは、米介の気が触れたのではないかと考えた。いつからあんなふうになったのだろう。そういえば、ほら、小河屋さんの番頭さんが亡くなって、ずいぶんがっくりしてお悔やみから帰ってきて、あれ以来じゃないかしらねえ。

そんな噂を囁《ささや》かれつつ、米介はじたばたと家のなかをかきまわしていた。そして、小河屋の松兵衛から遅れること十六日目に姿を消した。

変わり果てた米介の亡骸《なきがら》が、浅草御蔵の四番堀に浮かんだのは、それからさらに三日の後のことであった。

亡骸はひどく傷んでいて、米介が何で死んだのか、調べることはできなかった。身体中に大小無数の傷があり、これすべて魚に食われたものであるらしい。目玉など、ふたつともそっくり失くなっていた。そして着物の両袖に、なぜかしらずっしりと蜆が入っていた。

おかげで、それからしばらくのあいだ、日頃は普通の蜆の四、五倍の高値で取引される御蔵蜆が、半分以下に値を下げた。

それだけではない。まずいことに、米介が頻繁に御蔵蜆を買っていたということもあり、さてあの男は、食い散らされる蜆の恨みで取り殺されたのだという話まで飛び出す始末である。

米喰《よねく》って　敵討つ蜆の　おそろしき
そんな落書が、しきりと、御蔵の壁に書き殴られた。

御蔵蜆のおかげさまで良い金を稼いでいたこのあたりの魚屋には、これは大いに困った事態だった。彼らは鳩首《きゅうしゅ》して策を練った。

そして、八つある御蔵の横堀の四番目、まさしく米介の沈んでいた堀端に、案配よく蜆の形をした石を据えて小さな社《やしろ》を造り、蜆塚として拝むことにした。

これをきっかけに、ようやく、御蔵蜆の値も元に戻った。地元の人の話では、御一新を過ぎて明治の末頃まで、この小さな蜆塚は町の人びとに拝まれていたそうである。御蔵がなくなり、こぼれる米もなくなって、ここの蜆が他所《よそ》の蜆と変わりがなくなっても、言い伝えだけは残っていたのだろう。

浅草鳥越町に住む、今年八十八歳の老人も、子供のころ、馬力屋で働いていた父親から、この話を聞かされたという。

「なぁに、作り話だ。だってそうでなきゃ、米介という死んでしまった人の考えたことが、話の筋に出てくるわけがねえだろ。だからそのころは、怖いとも何とも思わなかったんだがね――」

当時、老人の父親には馴染《なじ》みの女がいた。酒場の女給だが、たいそうあか抜けた美人で、左の頬に目立つ泣き黒子《ぼくろ》があった。二人は何年か深い仲であり、女は老人のことも可愛がってくれたというが、秘密の間柄はやがて老人の母親の知るところとなり、父親は女を捨てた。

「うちの親父が七十で死んだとき――」と、老人は語る。「通夜に、その女が来たんだよ。えらい美人だ、忘れっこない。泣き黒子もちゃんとあった。若いころと全然変わっていなくって、あたしを見て、にっこり笑ったね。生まれてこの方、あんなにぞっとしたことはなかった。それで、ガキのころに聞かされた話を、あらためて思い出したんだ」

その夜は雨もよいで、月は出ておらず、女の足元に影があるかどうか確かめることはできなかったそうである。

「やっぱり、知らん顔しておくのがいいんじゃねえかな」と、老人は言っている。

解説

東　雅夫

宮部みゆきの時代小説を読むと、用もないのに家の近所を歩きまわってみたくなる。私が仕事場として借りているマンションは、宮部作品のホームグラウンドたる深川界隈《かいわい》に程近い、墨田《すみだ》区立川《たてかわ》の地にあるからだ。「立川」ではピンとこなくても、本来の表記である「竪川」に直せば、それと思いあたる向きも多いことだろう。本書所収の「灰神楽」にも、岡っ引きの政五郎親分が、この川沿いを事件現場へ駆けつける情景が描かれている。

竪川は空を移して鈍色《にびいろ》にどんよりと淀《よど》んでいる。今朝はまだ川鵜《かわう》の姿も見えない。水面《な》を撫でて、鼻先にツンとしみる冷たい風が吹きつけてくる。

かつては成田山や香取・鹿島の両神宮へ参詣《さんけい》する人々を乗せた舟でにぎわったという水路も、今では首都高速小松川線の高架に頭上をふさがれて見る影もないが、それでも大横川と交差する撞木《しゅもく》橋あたりから南へ少しくだると、水面をかすめて飛び去る水鳥の群や、川縁《かわべり》にそよぐ柳や葦《あし》の葉ずれに、かろうじて往時の面影を偲《しの》ぶことができる。

そんなとき、私が真っ先に想起するのは、『本所深川ふしぎ草紙』や『幻色江戸ごよみ』をはじめとする、宮部みゆきの時代小説なのだった。

江戸の下町情緒とそこに息づく庶民の生活を描いた作家といえば、たとえば宮部自身が、みずからの時代小説における先達として称揚している（半村良『どぶどろ』扶桑社文庫版解説）岡本綺堂《きどう》、山本周五郎、藤沢周平、半村良の四大家を筆頭に決して少なくはないし、その中には私自身、ひとかたならぬ愛着を抱いている作家作品も数多い。にもかかわらず、なぜ宮部みゆきなのかといえば……これには、主としてふたつの理由が考えられる。

第一に、宮部作品が喚起する圧倒的な臨場感――作中人物が移動する際の距離感や、作中世界を浸す空気の感触といったものが、作品の舞台となった場所に実際に身を置いてみると、まざまざと蘇《よみがえ》ってくるのである。読む者に、時代を超えた追体験をそそのかすような強烈さと親密さをもって！

さすがに御当地作家、四代つづいた深川っ子の血がなせる業というべきか。もちろんそれもあろうが、しかしそればかりではあるまい。ユニークなウォーキング・エッセイ『平成お徒歩日記』の冒頭でも言及されているように、かつて宮部は、日本橋から門前仲町まで、あるいは有楽町から錦糸《きんし》町まで（！）、自分の足で踏破してみることで、執筆に際しての「時間と距離感」を体得しようと試みていた。なにごとも「カラダで覚えろ」という下町の職人技にも一脈通ずるような、こうした実直にして繊細な創作意識こそが、あの魅惑的な臨場感を生みだしているのではなかろうか。

二番目の理由は、もっと直截《ちょくせつ》で、他愛がない。

宮部みゆきの時代小説は、往々にして極上の怪奇幻想小説でもある。なににもましてその点が、おばけ好きが高じて「ホラー評論家」を生業《なりわい》とするにいたった私のツボを直撃してやまないのだ。

そして、本所七不思議をモチーフとする連作集『本所深川ふしぎ草紙』や、江戸屈指の奇談随筆集『耳袋』に由来する霊能少女の捕物帳『震える岩』から、時代物としては最新の長篇ジェントル・ゴースト・ストーリー『あかんべえ』にいたる、宮部流時代怪奇小説の中にあって、その超自然性の濃厚さにおいてひときわ抜きん出ているのが、他でもない、本書『あやし』なのであった。

実際、はじめて本書を通読したときの衝撃たるや、いま思いかえしても昂奮《こうふん》を禁じえないものがある。合理的な解決と超自然志向とを絶妙に混在させることで、ミステリーと怪奇幻想小説と時代小説とのハイブリッドともいうべき境地に遊んでいた観のある宮部みゆきが、本書においては「超自然原理主義」サイドへと果敢に踏み込み、魂を喰《く》らう魔物、ゾンビさながらの生ける屍《しかばね》、不老不死の吸血鬼めく怪人といった西欧怪奇小説も顔負けのモンスターを、花のお江戸の町中に堂々と跳梁《ちょうりょう》させてしまったのだから！

右に挙げた例にかぎらず、本書には、作者がこよなく愛する欧米怪奇小説の影響が顕著に認められるように思われる。

――あれはね、すごくお腹を空かしているんだよ。

これは「布団部屋」に登場するヒロインの夢の中で、死んだ姉が呟《つぶや》く科白《せりふ》であるが、余人は知らず、少年時代に創元推理文庫版『怪奇小説傑作集』と出逢《であ》ったことで、ほぼ人生を決定されてしまった私のような人間にとっては、いやおうなく既視感を触発されるフレーズなのだった。

（たしかに、いつかどこかで目にしたような……）

作中に出没する魔物さながらの仄《ほの》暗いモヤモヤを胸中に抱えながら、読み進めることしばし――ハタと膝《ひざ》をうった。

「ポドロ島だよ、おい！」

「あれがもどってくるまえに――そうあのひとは言うんです。それからまた、こうも言いました。あれは死ぬくらい飢えているので、とても待ってはくれないものね……」

英米怪奇小説翻訳の名匠・平井呈一をして「モダン・ホラーの見本みたいな作品」と呼ばしめたL・P・ハートリイの短篇「ポドロ島」（前掲『怪奇小説傑作集2』所収／宇野利泰訳）の幕切れ間際に登場する、なんとも薄気味のわるい、そして謎めいた科白である。

わざわざ付言するまでもないことだが、「布団部屋」と「ポドロ島」のあいだに、作品としての相似点は皆無といってよい。闇にうごめく得体の知れない存在の恐怖を暗示する右の名科白を、まったく異なるシチュエーションに移し替え、原典に優るとも劣らない無気味さと余韻を独自に醸しだしてみせた作者の手腕と遊び心には、ほとほと脱帽せざるをえない。

おいおい、片言隻句が似ているというだけで、そこまで自信たっぷりに断言するのはいかがなものか——そんな突っ込みが聞こえてきそうだが、心配無用、それなりに根拠はあるのだ。

先年、雑誌の企画で対談をさせていただいた席上（「小説推理」二〇〇二年一月号掲載「〈幻想と怪奇〉にひたる悦楽」／双葉社版『ホラー・ジャパネスクを語る』所収）、談たまたま「ポドロ島」に及んだところ、はからずも宮部さん御本人の口から、次のような発言がサラリと飛びだしたのである。

宮部　そう、子供にはね、「あれは飢えているから待ってはくれないものね」っていう最後のほうの台詞《せりふ》が、怖いんだけど意味が分からないんですよね。

私が内心「ビンゴ！」と叫んでいたことは申すまでもあるまい。

ちなみに、このときの対談では、欧米怪奇小説に寄せる宮部みゆきの並々ならぬ愛着と思い入れのほどをうかがわせる発言が相次ぎ、私など大いに感銘をうけたものである。そうした造詣《ぞうけい》の一端は、同年暮れに上梓《じょうし》されたアンソロジー『贈る物語 Terror』（光文社）に見事に結実していることを申し添えておきたい。

右の「布団部屋」にかぎらず、『あやし』一巻には、作者が欧米怪奇小説から汲《く》み取った「良きもの」が、巧みに自家薬籠《やくろう》中のものとされ、妖《あや》しくも豊潤に、作中に響き交わしているという印象を深くする。

「梅の雨降る」の不幸なヒロインの顔を覆う白手拭《てぬぐ》いに、ナサニエル・ホーソン「牧師の黒いヴェール」の遥《はる》かな反映を、「時雨鬼」の女たちが目撃する、雨に濡《ぬ》れてたたずむ異形の忌まわしさに、J・D・ベリズフォード「人間嫌い」の片鱗《へんりん》を、それぞれ認めて驚愕《きょうがく》するもよし。

あるいは、凄惨《せいさん》きわまる「影牢」や人生の機微を味わい深く描いた「安達家の鬼」で精彩を放つ独白体に、「クロウル奥方の幽霊」をはじめとするシェリダン・レ・ファニュの諸作における荘重怪美な語り口を連想するのも、また愉《たの》し……。

思えば、捕物帳小説の開祖にして怪談小説の名手でもあった岡本綺堂は、『世界怪談名作集』一巻を編むほど欧米怪奇小説にも造詣深く、W・W・ジェイコブズの「猿の手」やフレデリック・マリヤットの「人狼」（この両作品がそろって『贈る物語 Terror』に収録されているのは偶然ではあるまい）といった英国ホラーの名作を翻案した戯曲を残してもいる。

岡本綺堂と宮部みゆき——時代小説の起点と最先端に立つ両作家には、欧米怪奇小説への愛着と同時に、もうひとつの共通点があった。あふれんばかりの江戸っ子気質である。江戸の文化と市井の人情に寄せる愛惜の念という点では、もうひとり、先に名を挙げた平井呈一を加えてもよいだろう。呈一が幼い頃、江戸深川生まれの祖母から寝物語に聞かされたという（随想「私の履歴書」参照）狐狸妖怪談の数々は、そのまま宮部みゆきの世界へ地続きにつながっているかのようなのだから。

どうやら江戸の気風と欧米怪奇小説とは、ことのほか相性が良いものとみえる。その良き伝統を、ふたつながら身に享《う》けた宮部みゆきの時代怪奇小説が、今後ともさらなる大輪の妖花《ようか》を艶《あで》やかに開かせてゆくだろうことを、私は信じて疑わない。

二〇〇三年三月　早咲きの桜が隅田川畔《ほとり》で開花したと報じられた日に

本書は、二〇〇〇年七月に刊行された小社単行本を文庫化したものです。

あやし

宮部《みやべ》みゆき

角川文庫　12913

平成十五年四月二十五日　初版発行
平成二十四年五月二十日　二十二版発行

発行者—井上伸一郎
発行所—株式会社角川書店
東京都千代田区富士見二—十三—三
電話・編集（〇三）三二三八—八五五五
〒一〇二—八〇七八
発売元—株式会社角川グループパブリッシング
東京都千代田区富士見二—十三—三
電話・営業（〇三）三二三八—八五二一
〒一〇二—八一七七
http://www.kadokawa.co.jp

印刷所—旭印刷　製本所—BBC
装幀者—杉浦康平

定価はカバーに明記してあります。

み 28-4　ISBN978-4-04-361104-1　C0193